La collection « Ado »
est dirigée par Michel Lavoie

Don de
Donated by

Date : Dec. 06

D0967147

L'ombre de l'oubli

L'auteure

Anne Jutras a œuvré dans le milieu de la photographie pendant une dizaine d'années. Artiste dans l'âme, elle s'est engagée dans divers projets : art autochtone, théâtre, atelier de lecture et animation thématique auprès des jeunes. Une nouvelle passion est venue se greffer à ses activités : l'écriture.

Bibliographie

L'Élixir du Trompe-l'œil, Gatineau, Vents d'Ouest, 2004.

Vents d'Ouest

ado

Anne Jutras

L'ombre de l'oubli

Catalogage avant publication de Bibliothèque et Archives Canada

Jutras, Anne, 1961-

L'ombre de l'oubli

(Ado ; 72)

ISBN 13: 978-2-89537-120-5
ISBN 10: 2-89537-120-2

I. Titre. II. Collection: Roman ado ; 72.

PS8619.U87O42 2006   jC843'.6   C2006-941120-4
PS9619.U87O42 2006

Nous remercions le Conseil des Arts du Canada de l'aide accordée à notre programme de publication. Nous reconnaissons l'aide financière du gouvernement du Canada par l'entremise du Programme d'Aide au Développement de l'Industrie de l'Édition (PADIÉ) pour nos activités d'édition. Nous remercions également la Société de développement des entreprises culturelles ainsi que la Ville de Gatineau de leur appui.

Dépôt légal - Bibliothèque et Archives nationales du Québec, 2006
Bibliothèque et Archives Canada, 2006

Révision: Raymond Savard
Correction d'épreuves: Renée Labat

Éditions Vents d'Ouest
185, rue Eddy
Gatineau (Québec) J8X 2X2
Courriel: info@ventsdouest.ca
Site Internet: www.ventsdouest.ca

Diffusion Canada: PROLOGUE INC.
Téléphone: (450) 434-0306
Télécopieur: (450) 434-2627

Diffusion en France: Distribution du Nouveau Monde (DNM)
Téléphone: 01 43 54 49 02
Télécopieur: 01 43 54 39 15

L'ATTRACTION *terrestre n'a plus d'emprise sur son corps. Il flotte. C'est une sensation plutôt agréable. En dessous de ses pieds, la noirceur. Au-dessus de sa tête, une lueur. L'espoir. Un halo verdâtre ondule sur une surface limpide.*

Miroitante. Lumineuse. Invitante.

On dirait une espèce de tunnel. Un long passage.

Est-ce le bon chemin ?

La bonne voie ?

En lui, la réponse gronde, ponctuée de cette incertitude. Qui osera le regarder sans grimacer ? Sans afficher l'horreur qu'il inspire ? Car il n'est plus le même. Son cœur demeure certes intact, mais son corps...

Plus jamais il ne sera ce qui a fait de lui... un être humain, autrefois.

Soudain, une pointe d'effroi s'insinue dans son esprit. L'être veut inspirer, prendre une bouffée d'air, mais c'est impossible. C'est un piège ! Il n'est pas en apesanteur, mais plongé dans l'eau ! Malédiction ! D'une profondeur telle que la remontée exigera plusieurs coups de pied frénétiques pendant d'interminables minutes, afin d'émerger à l'air libre. Le liquide s'infiltre dans sa bouche, chemine dangereusement vers ses poumons. Il se débat comme un forcené, la masse d'eau entravant ses mouvements. Prisonnier.

De l'air. Il suffoque.

De l'air. La vie… ou la mort ?

En proie à une panique insurmontable, ses pensées, impuissantes, se fracassent.

Remonter…

… à la surface…

… pour respirer…

… la liberté !

Message

MAXIME se réveille en sursaut, haletant. Il s'oblige à la détente, et sa respiration peu à peu reprend un rythme normal. Il jette un regard incrédule aux chiffres vert fluo du cadran de son réveil : il est presque midi. Si tard ? Pourtant, ses paupières ont la lourdeur de la pierre et sa tête lui fait mal.

Recroquevillé sous ses couvertures, il a quelques visions oniriques qui lui reviennent en mémoire, d'un tel réalisme qu'il sent ses muscles se raidir, son estomac se nouer, comme si, au cours de la nuit, il avait éprouvé une profonde frayeur.

Toujours la même sensation, la même angoisse, le même cauchemar obscur.

« Chasse ces images, Max, tu ne tiens pas du tout à les revoir ! se dit-il pour s'ancrer dans la réalité. Prends une grande bouffée d'air, ça va passer. » Il grimace. Une douleur martèle l'intérieur de son crâne. Repoussant ses draps, il s'étire longuement. Sa main glisse alors sous la taie d'oreiller et frôle un objet rêche. Il en sort une enveloppe mauve à l'intérieur de laquelle il y a un bout de papier.

Intrigué, il lit le message qui, apparemment, lui est destiné :

Si tu lis ceci, c'est que tu n'es pas parti.
Fous le camp ! Avant qu'il ne soit trop tard !

Pendant un instant, il demeure perplexe. « Qui a osé m'écrire ce mot ? » Il s'attarde sur la phrase : *Avant qu'il ne soit trop tard !* Est-ce un avertissement ? Une menace ? Qu'est-ce que ça signifie ? Puis, le visage d'une jeune fille surgit dans son esprit.

– Chanel, bien sûr, marmonne-t-il, agacé.

Il n'y a qu'elle pour le défier de la sorte. Quel toupet ! Pour qui se prend-elle ? Maxime connaît Chanel depuis peu, mais il a vite compris qu'elle s'est enfermée dans une coquille. Solitaire, elle préfère remplir son carnet à dessin d'esquisses qu'elle n'a jamais montrées à personne. Installée à la bibliothèque, toujours au même endroit, elle paraît calme, perdue dans ses rêveries. Mais Maxime sait très bien qu'il n'en est rien. Car il a vu, au fond de ses yeux pers, une beauté sauvage, vibrante d'impétuosité. Une sorte de révolte enfouie dans le territoire inconnu de son cœur, qui ne demande qu'à exploser. Ainsi, quand une discussion ne tourne pas à son avantage, Chanel l'exprime sans détour et vous ridiculise.

C'est exactement ce qui lui est arrivé dernièrement, lors d'une soirée tranquille, où l'atmosphère était encline aux conversations animées.

Aux mots anodins qui vous plongent dans la découverte de l'autre. Par contre, certaines filles détiennent l'art de vous clouer le bec, coupant net toute communication. Sans blague !

Or, au cours de cette fameuse soirée, ignorant tout de cette adolescente à part son prénom Chanel (qu'il trouve très *sexy*) et sa passion pour le dessin, il a émis un commentaire sur sa façon de s'habiller. Son but était de faire plus ample connaissance, non de l'insulter. Mais le résultat a été tout aussi lamentable. D'accord, il n'a pas été très flatteur à son égard. Il se remémore son air insurgé, ses yeux furibonds. Que dire à une jeune fille de quatorze ans ? Surtout lorsqu'elle est perpétuellement vêtue de noir, les yeux fardés de noir, sans compter les cheveux et les ongles noirs lustrés.

Évoquer un pacte avec la nuit semblait correct. Même très astucieux.

Les mots sortent souvent avec l'irrésistible envie de se montrer comiques. C'est ce que Maxime a tenté d'exprimer ce soir-là, mais il a fait chou blanc. Chanel lui a décoché l'un de ces regards qui vous métamorphose en cube de glace, et lui a balancé :

— Si tu avais deux pour cent de cervelle, tu dirais pas ce genre de connerie !

Vexé, il n'a rien trouvé à répondre. Quel caractère, cette Chanel ! En tout cas, son maigre deux pour cent de cervelle était amplement suffisant pour le dissuader de la fréquenter. Point à la ligne !

Depuis sa rebuffade, Maxime n'adresse presque plus la parole à Chanel, alias la rebelle. Lorsqu'il l'aperçoit, des mots lumineux clignotent dans son esprit : *à éviter !* Conclusion : le fossé qui les sépare ne fait que s'élargir.

Assis sur son lit, il regarde une dernière fois le message griffonné sur le papier. Difficile de reconnaître l'écriture. Justine ? Sûrement pas, elle n'a que sept ans. Sa gardienne, Gabriella ? Avec ses manies de mère poule affolée, elle ne rédigerait pas une missive pareille. Chanel ? C'est forcément elle, il ne voit personne d'autre.

« Voyons, Max, ne te laisse pas impressionner si facilement ! Après tout, tu as le droit d'être ici, au même titre que n'importe quel autre pensionnaire ! » Pourquoi Chanel lui demande-t-elle de partir ? Demande ? Exige, serait plus exact. Qu'a-t-il fait cette fois pour la provoquer ainsi ? Sûrement une connerie !

Il coupe court à ses réflexions, enfile un jean assorti d'une chemise sport et file vers la cuisine, bien décidé à tirer cette affaire au clair. Quitte à dire plus de deux mots à cette fille qui a du front tout le tour de la tête.

CHANEL

Nous sommes trois à vivre sous le toit de Gabriella. Cette dernière offre un service d'hébergement destiné aux enfants dont les parents sont partis en voyage d'affaires. Aucun lien de parenté n'existe entre nous. La seule ressemblance, assez flagrante selon moi, c'est d'être confinés dans la même maison et d'avoir des parents, quelque part, très occupés à se bâtir une carrière.

Ainsi, pendant l'absence de nos chefs de famille, Gabriella a la *mission* de prendre soin de nous. Elle l'accomplit avec l'énergie d'un chaperon paniqué à l'idée que, un jour ou l'autre, il nous arrive un grave malheur. Elle nous prive ainsi de toute activité *normale* hors de la maison.

En revanche, Gabriella tolère la marche à la condition que l'on respecte ses deux règles d'or : *primo*, ne pas trop s'éloigner et, *secundo*, éviter d'explorer la cime des arbres. Sans doute anticipe-t-elle le pire des scénarios : nous retrouver agonisants avec une dizaine de fractures aux jambes et la boîte crânienne fêlée.

Elle nous prend vraiment pour des enfants de deux ans d'âge mental !

J'avoue que j'ai tenté de percer les secrets de sa personnalité afin de comprendre davantage son manque de confiance. Peine perdue. Et puis, l'explication s'est imposée d'elle-même : Gabriella est une salariée. Nos parents la paient très cher pour qu'elle comble nos besoins essentiels. De plus, elle se fait un devoir de nous garder en vie (et non en pièces détachées !) jusqu'à leur retour, selon sa grande expérience et à notre grand dam. Bref, elle prend son rôle

13

de gardienne avertie très au sérieux. Trop même.

Je disais donc que nous sommes trois enfants sous la tutelle de Gabriella.

D'abord, il y a moi. Je me nomme Chanel et j'adore le noir !

Couleur dépouillée, simple, mystique, qui révèle élégamment l'aspect sombre en soi, ou selon l'humeur, l'autre versant de la vie, le monde des morts. Un monde sans souffrance, où l'âme est éternelle. Houlà ! je m'emporte ! Il y a tant de mots pour exprimer l'univers dans lequel je bascule lorsque je suis en noir. Il rehausse ma silhouette (malgré l'opinion erronée que s'en est fait Maxime). Le noir me donne la sensation d'être unique et marginale. Maxime ne comprend rien à tout ça. *Un pacte avec la nuit.* Non mais quelle idée farfelue !

Pauvre lui ! J'imagine que le noir lui fait horreur. D'ailleurs, ses nuits sont le siège de perpétuels cauchemars. Comment se fait-il que je sois au courant ? Je le sais, c'est tout. D'accord, j'avoue, j'ai une sorte de sixième sens : celui de ressentir l'émotion des autres. Je capte leurs états d'âme sans avoir eu, au préalable, une conversation intime avec eux. C'est pratique à l'occasion. Toutefois, mon don est totalement inefficace dans le cas de Gabriella. Mes pensées glissent sur elle comme sur un bocal hermétique. Impénétrable.

Mais, en toute honnêteté, j'aime mieux cacher ce talent singulier. Relier mes pensées à l'humeur de tout un chacun, assister à leur chassé-croisé d'incertitudes, de déceptions, de tristesse, ou même d'allégresse, c'est pénible à supporter. Personne, ici, n'est au courant de mon don. S'il fallait ! Maxime est assez intelligent pour me traiter de clairvoyante à la noix !

Non, je reste bien tranquille dans mon coin. Et, puisque dame-chaperon m'interdit de circuler à ma guise, j'occupe mes journées à dessiner. Crayons HB à la main, je crée mon petit monde à moi. Mon refuge.

Assez parlé de moi, si je parlais des autres ? Le deuxième membre de notre club d'enfants hébergés, c'est Maxime. Que dire de ce garçon ? Voyons voir…

Ses cheveux noirs auréolent son visage de boucles folles, faisant ressortir le bleu de ses yeux, ourlés de longs cils noirs. Ses traits se perdent entre l'adolescence et la maturité, lui sculptant un air à la fois innocent et perspicace. Il a un regard pénétrant, parfois indéchiffrable et qui vous fait un drôle d'effet, là, au milieu du plexus.

Par contre, il est si… sûr de lui. Si… arrogant. C'est bien simple, en sa présence, j'ai une boule d'inconfort qui fait des révolutions dans ma poitrine. La plupart du temps, Maxime ne m'adresse pas la parole, on dirait qu'il m'évite. À l'évidence, il n'aime pas les filles qui n'ont rien à dire, comme moi. Aurai-je le courage de lui exprimer ce que je ressens ces derniers temps ? M'exposer à ses critiques ? À son regard perçant ? Je rêve en couleur ! En général, j'ai l'air d'une vraie carpe devant lui !

Mais, la carpe s'est lancée à l'eau… Trop tard pour rebrousser chemin. Je vais lui montrer, sans ciller, sans gêne, que… Oh ! ça me donne la trouille ! Peut-être que j'exagère ? Mais non, Chanel, raisonne-toi, quand tu entreprends quelque chose, tu dois aller jusqu'au bout. Bref, je me sens tellement mieux lorsqu'il débarrasse le plancher et qu'il s'occupe de ses affaires.

En tout cas, je n'ai jamais vu un gars avoir autant la bougeotte. À le voir trimbaler ses outils horticoles partout sur le parterre, il m'essouffle. On dirait un jardinier qui fait le guet, toujours à l'affût d'une tâche à accomplir. Le corps emperlé de sueur, il s'active à toutes les besognes reliées à l'entretien du terrain. À mon avis, c'est une façon désespérée d'occuper ses dix doigts et de pratiquer, à l'insu de Gabriella, un simili sport.

Frondeur sur les bords, il a transgressé la loi de Gabriella, la première journée de son arrivée. Lorsque cette dernière l'a repéré juché en haut du grand chêne, au fond de la cour, elle s'est mise à le houspiller comme si la mort le guettait. Rouge de colère, elle menaçait de lui tordre le cou s'il ne descendait pas *illico* (ce qui était assez incongru, vu les circonstances). Buté, Maxime ne bronchait pas d'un poil. Le mécontentement de Gabriella a alors éclaté ! À l'observer s'énerver, j'ai vraiment cru qu'elle serait victime d'une attaque d'apoplexie. Maxime a sans doute pensé la même chose. Quittant son poste, il a dévalé le réseau de branches aussi vite que son agilité le lui permettait.

Ce soir-là, nous nous sommes couchés très tôt, avec comme seul repas des biscuits et du lait chaud. Maxime n'a jamais reparlé de cet incident. Moi non plus d'ailleurs.

Finalement, la dernière pensionnaire et non la moindre, c'est Justine.

Âgée de sept ans, Justine est enjouée, aime colorier, se déguiser et raffole des raviolis. Mais il n'en a pas toujours été ainsi.

La première fois qu'elle a joint notre club d'enfants hébergés, elle paraissait perdue. Cela remonte à... tiens, c'est drôle, je ne sais plus très bien. C'est fou comme le temps file ! Une vingtaine de jours ne serait pas exagéré. Oui, c'est exact, environ trois semaines. Enfin, peu importe.

C'était un soir où le vent soufflait en rafales. Je m'en rappelle, car de terribles craquements s'échappaient des murs, comme si la maison hurlait son supplice. Gabriella s'était absentée pour assister à la réunion bimensuelle des gardiens avertis. Moi, dans mon coin, Maxime dans un autre, nous nous préparions à veiller jusqu'à minuit. Pas une minute de moins. Un record ! Rompre avec l'horaire habituel d'aller au lit à vingt et une heures s'imposait. C'était tout un changement de programme !

Mais ce fabuleux programme ne se déroula pas tel que prévu...

Vers vingt-trois heures, la porte d'entrée s'ouvrit avec fracas, s'arrachant presque de ses gonds, me faisant sursauter. Surprise et déçue, je vis Gabriella apparaître sur le seuil, tenant dans ses bras un curieux paquet enveloppé dans une couverture. Elle referma la porte derrière elle et resta plantée là, à nous dévisager d'un air sévère. Sa mine renfrognée en disait long sur le sort qu'elle nous réservait pour avoir dépassé l'heure du coucher. Elle se contenta de déposer son précieux paquet qui s'avéra posséder deux jambes maigrelettes et une tête à la chevelure rousse : une fillette de sept ans.

Je devinais qu'une nouvelle pensionnaire se joignait à nous. Gabriella a fait les présentations d'usage et, selon ses recommandations, nous devions faire preuve d'autant d'égard envers Justine que si elle était notre propre petite sœur. Entretenir l'esprit de famille, entre parenthèses, est capital aux yeux de notre chaperon.

Le visage hagard, Justine faisait papillonner son regard entre Maxime et moi. Sa bouche se crispait. Visiblement, elle tentait un effort surhumain pour réprimer un gros sanglot. Sa détresse était palpable. N'écoutant que mon cœur, j'ai ausculté l'émotion qui la chagrinait. Je n'ai pas rencontré de résistance comme ce fut le cas avec l'âme verrouillée de Gabriella. Celle de Justine a la transparence d'une perle de rosée. Fragile et pure.

Mais ce que j'y ai découvert m'a boule-versée.

Plongée dans les profondeurs de sa conscience, j'assistais, impuissante, à sa douleur. Dépaysée, elle n'avait aucune idée de ce qu'elle faisait dans cette maison. Pauvre petite puce. Son cœur implorait l'aide de la seule personne qui était en mesure de la consoler : sa maman.

Une vague d'indignation me submergea. Comment des parents pouvaient-ils abandonner ainsi leur enfant ? Sans explication. Sans lui avoir dit au revoir. Comment était-ce possible ? Avaient-ils été à ce point pressés ? Les mots étaient-ils si futiles ? Des mots pour lui dire qu'ils l'aimaient tendrement, qu'ils penseraient à elle tous les jours et que, très bientôt, ils reviendraient la chercher...

Prise d'un vertige, je me rendis compte qu'un orage grondait en moi, de plus en plus fort. La révolte !

Je me suis retirée des pensées de Justine, car sa souffrance, étrangement, devenait la mienne. Muette, j'ai repris contact avec moi-même. Avec mes propres émotions. La colère cédait peu à peu la place au désarroi. J'ai consulté Maxime du regard. Il semblait inquiet et aussi désemparé que moi.

Heureusement, Gabriella savait comment intervenir. En gardienne avisée, elle trouva les bons mots pour expliquer la situation à la petite. Militaires de métier, ses parents avaient été obligés de partir en catimini. Une mission ultrasecrète les avait appelés à l'étranger. Pendant leur absence, Justine habiterait ici, entourée d'amis qui la dorloteraient comme une princesse.

Ces paroles, qui avaient pour but de rassurer Justine, eurent l'effet opposé. Elles intensifièrent sa tristesse et l'affolèrent. Inconsolable, la fillette éclata en sanglots. Ne se laissant pas démonter, Gabriella lui proposa son remède contre les cœurs brisés : ses fameux biscuits magiques.

Au mot magique, Justine leva la tête, un soupçon de curiosité dans le regard. Honnêtement, en fait de biscuit, j'avais déjà goûté mieux. C'est une recette à la saveur un peu fade, bourrée de graines de toutes sortes, mais qui a la surprenante propriété de vous réconforter.

Ainsi prenait fin cette singulière soirée. Dès lors, Justine a retrouvé son sourire. Discrète, je n'ai pas osé évoquer le moindre souvenir de son arrivée parmi nous, de peur de ranimer sa tristesse.

Nous vivons donc avec Gabriella, disposant d'une grande maison de douze pièces, au milieu de nulle part, entourée d'un vaste jardin et d'une forêt. Une forêt où il est pratiquement impossible de s'aventurer sans encaisser des remontrances. Des voisins ? Ils sont rares et ne donnent pas signe de vie. Ils ont autre chose à faire que de s'intéresser à la marmaille adulée de Gabriella.

Selon moi, je vis dans un endroit temporaire, où je suis « entreposée » en attendant le retour de mes parents. J'ignore ce qu'en pensent Maxime et Justine. Même si je possède un sixième sens, je ne puis lire leurs pensées. Je ne fais qu'effleurer leurs émotions. Majeur comme différence !

Bon, assez jonglé. Mon ventre gargouille. Si j'allais voir ce que nous a mijoté Gabriella pour dîner. Tiens, j'entends des pas... Qui vient par ici ?

Ah ! non... pas lui... pas Maxime...

Gribouiller des conneries ?

L E REGARD FIXE, le papier froissé dans sa main droite, Maxime évite la cuisine. Il traverse un long corridor jalonné de portes closes. À l'autre extrémité, une porte à double battant s'ouvre sur la bibliothèque : sa destination. Son pas est lourd, résonnant contre le plancher de bois laqué. Naturellement, il veut qu'elle l'entende se déplacer de loin. « Aussi bien battre le fer tandis qu'il est encore chaud », se dit-il. Deux ou trois petites phrases suffiront à remettre la rebelle à sa place. Pas trop méchantes, juste assez pour lui faire comprendre qu'il a le droit de vivre ici. En paix.

Il n'a pas visité la biblio très souvent. Par contre, il sait que Chanel y passe pratiquement tout son temps. « La rebelle ne lit pas, pense-t-il, non, elle s'isole. » Pas sociable pour deux sous, elle préfère griffonner ses dessins sur de grandes feuilles et noircir ses menaces sur des bouts de papier. Pour effacer les autres de sa vie. Mais Maxime ne veut pas disparaître. Au contraire, il brûle d'exister ! Serait-ce aux yeux de celle qui se cache derrière la rebelle ? Pour apprivoiser sa compagnie ? Devenir son ami ? Peut-être est-ce tout cela à la fois… Maxime tressaute à cette pensée, qu'il trouve un peu, pas mal, beaucoup tirée par les cheveux !

En mettant les pieds dans la bibliothèque, il s'immobilise, impressionné. Des centaines de bouquins aux reliures magnifiques recouvrent tous les murs, du plancher au plafond, qui atteint une hauteur de cinq mètres. Une échelle de bois, glissant sur des rails, permet d'accéder aux livres les plus élevés. À sa gauche, un clapotis attire son attention. Sur un socle, repose un imposant aquarium donnant asile à des poissons tropicaux. Au centre de la pièce, des fauteuils en cuir, placés au hasard et flanqués de lampes torchères, offrent des places de choix. Tout au fond, trois fenêtres en ogive, ornées de voiles qui cascadent jusqu'au sol, surplombent la silhouette de Chanel.

Le pouls de Maxime s'accélère. La trouver est un point de marqué, mais la partie est loin d'être gagnée. Ses idées se brouillent. Il met ça sur le compte de son mal de crâne qui ne se dissipe pas.

Noyée d'une douce luminosité, parée de noir de la tête aux pieds, Chanel tranche sur le fauteuil en cuir rouge dans lequel elle s'est affalée pour dessiner. Absorbée, elle ne daigne pas lever le nez de son œuvre, sa main traçant des lignes saccadées. On dirait bien que le bruit des pas de Maxime ne parvient pas à ses oreilles. Pour attirer son attention, il se racle la gorge bruyamment.

Le va-et-vient du crayon HB s'arrête net. Lentement, elle le dépose, écarte de son visage une longue mèche de cheveux noirs et plante ses yeux bleu-vert dans ceux de Maxime.

Bien qu'il soit trop orgueilleux pour l'admettre, ce regard ramollit sa confiance. Il effectue quelques pas nonchalants. L'idée générale est de se donner une contenance. Comme il s'apprête à lui adresser la parole, elle le devance :

— Qu'est-ce que tu fais dans le coin ? T'as perdu ta tondeuse ?

Sa voix est mordante et ses yeux, perçants. Maxime soutient l'intensité de son regard autant qu'il peut, inspire profondément.

— On a des choses à régler... tous les deux.

Dix secondes de silence. Dix secondes durant lesquelles Chanel ferme son cahier à dessin, le dépose sur une table basse et déclare :

— Ça tombe bien, je voulais te parler à ce sujet.

— Te fatigues pas, je connais par cœur ton discours !

— Ah bon ! parce que tu lis dans mes pensées, maintenant ? dit-elle, sarcastique.

Surpris par son aplomb, Maxime réplique sans réfléchir :

— Ça, c'est des trucs de vieille bonne femme ! Moi, je te parle de faits concrets ! Pas besoin d'un dessin pour savoir où tu veux en venir. Je sais lire entre les lignes, figure-toi ! Ton message, aussi subtil soit-il, ne me fait ni chaud ni froid !

Son intervention terminée, il veut se mordre la langue. Les mots sont sortis si vite qu'il n'a pas eu le temps de les filtrer. Les yeux de Chanel s'agrandissent sous l'effet d'une vive émotion.

– Comment ? Tu as fouillé dans mes affaires ! s'exclame-t-elle, en jetant un regard rempli de sous-entendus sur son cahier à dessin qu'elle saisit sur la table basse. De quel droit ?

Maxime n'en revient pas. C'est *elle* qui entre dans sa chambre, en cachette, glisse une note de menace sous son oreiller et c'est *lui* qui écope des remontrances. C'est le bouquet !

– Arrête de gribouiller des conneries, Chanel ! C'est toi la fautive, pas moi !

– Gribouiller des conneries ?

Elle a détaché chacune des syllabes avec indignation, son regard fiché dans celui du garçon. Une telle force s'en dégage qu'il remarque à peine l'onde de tristesse envahir ses yeux. Il essaie d'être conciliant.

– Écoute, si tu me disais clairement le fond de ta pensée, peut-être qu'on pourrait s'entendre, toi et moi.

Chanel détourne son regard, devient taciturne, tenant son cahier contre son cœur, comme le plus précieux de ses biens. Le seul témoin de ses créations. De ses états d'âme. Ses œuvres : des conneries ?

– Je comprends rien à ton charabia ! réplique-t-elle sèchement.

Exaspéré, Maxime balance dans les airs le message qu'il a trouvé sous son oreiller.

– Tiens, rafraîchis ta mémoire, tu m'en donneras des nouvelles !

Sans comprendre, elle observe le papier qui tourbillonne et tombe à ses pieds comme un crachat. Elle se penche pour le cueillir. En se redressant, elle fronce les sourcils, son corps se crispe. L'expression de son visage se décompose en un clin d'œil. À quoi songe-t-elle ? Au motif qui l'a poussée à écrire ces bêtises ?

Soudain, une ombre ternit la lueur de ses yeux. Une ombre que Maxime n'arrive pas à identifier. Les secondes s'écoulent en silence. À l'évidence, quelque chose s'ébroue sur l'écran de son esprit. Une chose invisible, qui n'existe pas, du moins, pas présentement. Si imprévisible, si troublante, qu'elle lui arrache un cri.

– Âââhrrr ! Mais qu'est-ce que c'est que ça ? explose-t-elle, la respiration haletante, repoussant le papier comme s'il avait pris feu. À quoi tu joues ? Tes cauchemars ne concernent que toi, tu ne devrais pas embêter les autres avec ça !

Désarçonné par la réplique de Chanel, Maxime reste pantois. Pourquoi parle-t-elle de ses cauchemars ? Quel est le rapport ? Elle cherche à faire diversion, ou quoi ? Humilié, il bafouille :

– Il n'est pas question de… de cauchemar… mais de cette maudite note que j'ai trouvée sous mon oreiller ! Qui d'autre, à part toi, l'aurait écrite ?

– J'en sais rien, répond-elle d'une voix qui tremble. Mais ce n'est pas moi !

— Pourquoi vous vous chicanez ?

La voix menue de Justine les tire brusquement de leur dispute. Ils ne l'ont pas entendue arriver. Accoutrée en fée des intempéries, cape en rideau de douche et chapeau assorti, elle les dévisage, affichant une mine intriguée. Personne ne répond. Tous deux ruminent leur colère.

— Venez, le dîner est servi qu'elle a dit Gabriella, les informe-t-elle en haussant les épaules.

— Allez-y tous les deux ! Moi, on m'a coupé l'appétit ! gronde Chanel, quittant les lieux en coup de vent, les cheveux noirs flottant derrière son dos.

— Chanel est fâchée ? constate Justine, un soupçon d'inquiétude dans la voix.

— T'en fais pas, c'est rien de grave, la rassure Maxime en lui prenant la main.

Il se sent en partie responsable. Au fond, ce sont ses remarques qui ont ruiné le dîner de l'adolescente. Il est déçu, de lui, d'elle. D'ailleurs, Chanel aussi a manifesté le besoin de se confier. De quoi voulait-elle l'entretenir ?

Il aurait tant souhaité que cette conversation tourne mieux.

Beaucoup mieux.

Souvenirs fragmentés

– Bonjour, mes trésors ! chantonne Gabriella, lorsque Maxime et Justine se présentent pour le dîner. Assoyez-vous, tout est prêt.

Fluette, les cheveux remontés en un chignon désordonné, Gabriella arbore un regard de chat siamois. Cette ressemblance évoque non seulement sa couleur, mais aussi son caractère. Sombre et clair, aussi inégal et flamboyant que ses sautes d'humeur : bourrée d'attentions pendant trois secondes, brisée d'inquiétude la minute qui suit. Un trait de caractère qui horripile Maxime.

– Chanel n'est pas avec vous ? Elle n'est pas à la bibliothèque ? Mon Dieu, où peut-elle bien être alors ? panique-t-elle, en jetant un œil inquiet à travers la baie vitrée de la salle à manger.

Elle rend Maxime fou ! Pourquoi faut-il toujours qu'elle envisage la catastrophe aussitôt que l'un d'entre eux n'est pas dans son champ de vision ? De toute façon, elle se fait du mauvais sang pour rien. Chanel ne met jamais le nez dehors.

– Elle est à l'abri dans sa chambre, précise le garçon d'un ton neutre.

– Ah oui ! Que fait-elle dans sa chambre ? Qu'est-ce qui ne va pas ? Elle est malade ?

Ils s'installent à la table, l'un en face de l'autre. Justine observe attentivement Maxime. Elle attend qu'il donne des explications sur l'absence de son amie. Les vraies.

– Non, non, Chanel va bien, dit-il en fuyant le regard scrutateur de la fillette. Elle n'a simplement pas faim.

– Vraiment ! s'étonne Gabriella en déposant leur assiette devant eux.

Ses doigts, frêles et allongés, papillonnent d'un ustensile à l'autre, corrigeant leur disposition.

– D'habitude, poursuit-elle, cette chère enfant a une faim de loup. Elle est sans doute fiévreuse. Je lui réserverai quelques-uns de mes nouveaux biscuits aux graines de citrouille. Au moins, elle aura quelque chose à se mettre sous la dent.

Dégoûté, Maxime soupire à la vue de son repas. Si elle arrêtait de tourner autour du four, de confectionner des biscuits farcis de graines pour les oiseaux, il y aurait autre chose que des sandwichs et de la salade de choux au menu.

Puis, il se rend compte qu'il n'a pas tellement faim. Pas du tout même. Sa dispute avec Chanel a mué son mal de tête en migraine. L'estomac à l'envers, il se retire poliment de table, mentionnant qu'il a besoin d'aller prendre un bon bol d'air frais.

– Oooooh ! Toi aussi tu es malade ? Non, ah bon ! Mon Dieu, j'espère que ce n'est pas la gastro qui court.

– Pourquoi tu dis toujours ça ? demande Justine avec une moue inquisitrice.

Pendant que Gabriella se lance dans une savante explication sur les troubles gastriques et autres maladies susceptibles de leur tomber dessus, le garçon file discrètement vers la porte de sortie.

Maxime suit le sentier qu'il a maintes fois emprunté pour travailler sur le terrain. Pour occuper son temps et, par la même occasion, se soustraire à l'emprise de sa gardienne. Cette fois, il a besoin d'aérer son esprit. À pas lents, il contourne rocailles, fontaines et statuettes mythologiques qui ornent le jardin.

Il lève les yeux vers le grand chêne, tout au fond du parterre. De vingt fois son âge, paré d'une ramure foisonnante, cet arbre lui donne l'impression de palper les nuages. Vertigineux. Maxime est incapable de détacher son regard de ce magnifique spécimen, comme si celui-ci attisait sa curiosité. Il s'éloigne. Une autre pulsion le fait bifurquer. Il quitte le sentier et se dirige vers la forêt.

Branches qui craquent, mousse odorante, ombre de la frondaison, tout cela lui fait du bien. Pourtant, il est en territoire interdit : c'est-à-dire qu'il a dépassé la limite permise par Gabriella. *Le sentier c'est bien, le quitter c'est mal ! Un malheur n'arrive jamais seul,* radote-t-elle à tort et à travers.

Indépendant, Maxime déteste se faire mener par le bout du nez. Tous les petits soins de sa gardienne, aussi excessifs qu'inutiles, l'étouffent ! Pourquoi ses parents lui ont-ils déniché un endroit pareil ? Il aurait très bien pu se débrouiller seul à la maison pendant leur absence. Lui ont-ils seulement demandé son avis avant de le placer dans cette pension ?

Maxime ne garde qu'un souvenir fragmenté des derniers jours passés avec eux, le week-end avant leur départ. Camping sauvage, randonnée autour d'un lac, brume du matin et l'intention de son père d'aller à la pêche. Il lui semble qu'une autre personne les accompagnait. Qui était-ce ? Sans doute sa mère, elle adore la nature. Pour le reste, tout s'embrouille. Est-ce sa frustration de n'être pas considéré comme un grand qui lui a gâché les moments passés en leur compagnie ? Peut-être…

« Tout s'est déroulé trop vite », soupire-t-il, mélancolique.

Pénétrant plus profondément dans la forêt, il a le sentiment de conquérir enfin sa liberté. D'être le maître de ses choix. Repérant un gros rocher plat, il s'y installe. Son mal de tête, peu à peu, s'apaise.

Les paroles de Chanel lui reviennent à l'esprit. Selon toute vraisemblance, elle n'est pas l'auteure du message anonyme. Qui alors ? Étrangement, il a l'impression que ce billet provient d'une requête qu'il a adressée à quelqu'un. Qui donc ? Où l'aurait-il rencontré ?

Il ne connaît pas la région. S'est-il déplacé, au cours de la nuit, vers un endroit dont il ne soupçonne même pas l'existence le jour ? Sans se souvenir de quoi que ce soit, à la manière d'un somnambule.

Mais il y a autre chose qui le turlupine : le regard indéchiffrable que Chanel a jeté sur le bout de papier. Elle semblait être en contact avec un monde inconnu. Un je-ne-sais-quoi qui lui a fait un effet terrible. Il revoit ses yeux. Ses yeux pleins d'une lueur effrayante. Maxime en déduit que ce qu'il a détecté est peut-être de la… peur. Un doute persiste tout de même. Un bout de papier ne peut pas transmettre autant d'effroi. D'autre part, les gens, en général, n'ont pas peur pour rien.

Qu'est-ce qui pouvait bien ébranler Chanel ?

CHANEL

Qu'est-ce qui m'arrive ? J'hallucine ou quoi ? Je touche un objet et, hop ! me voilà propulsée ailleurs ! Pas très rassurant, merci.

J'ai la main tout engourdie ! J'en tremble encore ! Que penser de tout cela ?

Quand j'ai saisi le bout de papier que Maxime a laissé tomber par terre, la pièce qui m'entourait s'est aussitôt effacée. Oui, oui, volatilisée ! Un flot d'images a déferlé en moi, me transportant dans un autre monde. Est-ce vraiment un autre monde ? Ou bien une illusion ?

Où étais-je au juste ?

Aussi invraisemblable que cela puisse paraître, je n'étais plus dans la bibliothèque ! Ah ça, non ! Plongée dans la pénombre, j'entendais un froissement à mes côtés. Du coin de l'œil, j'ai perçu un mouvement. De toute évidence, quelqu'un, ou quelque chose, s'agitait tout près de moi. Effrayée, j'étais aussi tendue qu'une corde d'alpiniste prête à se rompre. Une voix dans ma tête me conseillait de ne pas regarder. De ne pas m'attarder... De partir...

J'éprouvais une impression de confusion : celle d'être une spectatrice et une participante, tout à la fois. À croire que j'étais plongée dans l'esprit d'un inconnu, sous la dépendance de ses allées et venues. La petite voix intérieure devint insistante. Ne pas regarder... Partir...

Absorbée par ce monde brusquement devenu le mien, je plissai les yeux pour mieux scruter la pénombre.

Alors, je le vis. Ce visage. Ce regard farouche. Ces yeux remplis d'une détresse sans nom. On aurait dit la caricature atroce d'un visage mi-humain, mi-animal. Plus je détaillais la créature, plus les traits qui l'apparentaient à un être humain disparaissaient pour se remodeler en ceux d'une bête sauvage. Repoussante. Indésirable.

La créature me dévisagea à son tour. Je voyais maintenant un regard où se logeait un ressentiment terrible. Pensait-elle que j'étais la cause de sa malheureuse mutation ? Je n'en doutais point. Sans plus de préambule, elle me hurla sa révolte en pleine figure. Une plainte si intense qu'elle me glaça le cœur. Ébranlée, je ne savais pas quoi faire ! Qu'est-ce qu'elle me voulait cette créature ? Je souhaitais déguerpir ! Sortir de là ! Mais la peur me retenait prisonnière de cet ahurissant spectacle.

Où étais-je rendue ? Dans les fibres du papier ou dans la tête de celui qui a écrit ce message ? Voilà, une excellente question ! Car, une chose est sûre, la bête qui se dressait devant moi n'avait plus rien d'humain. Qui était-elle ? D'où venait-elle ? Et puis, l'absurdité m'a sauté aux yeux. C'était moi, mon reflet.

Mais NON ! C'était complètement dément !

Soudain, j'ai compris d'un coup… j'étais au beau milieu d'un cauchemar ! Eurêka ! Dans la même lignée de ceux de Maxime ! Or, ce monde nocturne, d'une réalité bouleversante, ne me concernait pas ! Je me suis donc cramponnée aux derniers événements : ma dispute avec Maxime, le papier qu'il m'a balancé à la tête. Le papier ! Je devais le lâcher. Perdre tout contact avec cet objet.

J'ai finalement réussi à m'évader ! Ouf ! Quelle aventure !

J'en suis encore toute chamboulée ! D'aussi loin que je me souvienne, jamais je n'ai vécu une expérience similaire ! Réceptive, j'ai assisté, par l'intermédiaire de ce bout de papier, à l'un des cauchemars de Maxime. Comment est-ce possible ?

Peut-être que chaque objet possède une mémoire cachée. Peut-être…

J'y pense : Maxime a mentionné qu'il a trouvé cette note sous son oreiller. Elle lui disait carrément de quitter les lieux. Comment a-t-il osé s'imaginer, ne serait-ce qu'une seule seconde, que j'en étais l'auteure ? Holà ! une minute ! Si ce n'est ni moi ni lui qui l'ai écrit, ce message, qui est-ce alors ?

Et si par hasard, je n'avais pas capté les réminiscences d'un cauchemar, mais les sensations de celui qui a formulé ces phrases imprégnées dans les fibres du papier, comme la preuve irréfutable de son intention. Qui donc ? La bête de ma vision ? Ai-je rencontré le présumé coupable de cette menace ? Je frissonne rien que d'y songer… Qu'est-ce que tout cela signifie ?

Suis-je en train de délirer ?

La forêt

MAXIME se réveille en sursaut. Il aperçoit, à quelques centimètres de son visage, un rat zébré en équilibre sur ses pattes arrière, les moustaches agitées de tics nerveux. Immobile du haut de sa petite taille, la bestiole le défie d'un regard alerte. « Qu'est-ce qu'un rat fait dans ma chambre ? » pense-t-il en clignant des yeux. Pendant une fraction de seconde, il est complètement désorienté. Où est-il ?

Alors que Maxime s'étire, le rat détale. Un tapis de feuilles mortes craque sous ses fesses. Ça lui revient maintenant : il est en pleine forêt ! Le calme y était si invitant qu'il n'a pu résister à la tentation de piquer un somme. Il se lève, balaie les brindilles de son jean et constate les bienfaits de son repos.

Plus de mal de tête. Pas de cauchemar... en tout cas, pas cette fois-ci.

« Inutile de te leurrer, Max, car la prochaine fois, tu en feras un », se dit-il. Devenu un habitué des cauchemars, il n'en conserve aucun souvenir. Enfin, presque. Seulement des sensations physiques. Palpitations, sueur, tension et cette maudite angoisse. Une angoisse qui le cueille à chaque réveil et rend son corps tout raide, perclus de crainte.

Vachement déplaisant !

Parfois, il se réveille avec l'étrange conviction d'avoir couru toute la nuit. Poursuivait-il quelqu'un ? Ou tentait-il d'échapper à quelque chose ? Échapper à quoi ? À une situation dangereuse ? Dans la vraie vie, il n'est pourtant pas un froussard. Pourquoi fuir ? Quelle est la symbolique de ce type de rêve ? Il n'en sait rien.

À quoi bon se creuser la cervelle ? Tout ce qu'il en retire, ce sont des maux de tête !

En évoquant ses cauchemars, il repense à Chanel qui lui en a fait la remarque. Elle est tombée pile ! Comment a-t-elle fait ? Ce n'est pourtant pas son sujet de prédilection et il garde secret ses malaises nocturnes. En y réfléchissant bien, tout le monde, un jour ou l'autre, fait de mauvais rêves. Rien de sorcier là-dedans.

Nullement enthousiasmé à l'idée de retourner au bercail, Maxime traîne le pas. Il se rend compte que le soleil tire sa révérence, la forêt se parant d'ombres étirées. Plusieurs heures se sont donc écoulées. Son corps, en pénurie de sommeil, avait besoin de récupérer. Par contre, le calme qui l'a convié à somnoler est devenu à présent dérangeant.

Il s'immobilise et tend l'oreille. Le silence a tout avalé : le babillage du vent, le chant des oiseaux, le bruissement des feuilles. Pas le moindre son. Pas la moindre trace de vie. La nature s'est endormie à son tour, pense le garçon. Il ne s'inquiète pas outre mesure, jusqu'à ce que son regard se porte sur la cime des arbres.

Quelque chose cloche là-haut. Dans la trouée au-dessus de sa tête, une couronne de feuilles dentelées se balance en ombres chinoises contre l'azur céleste. « Si le vent ne souffle pas, comment ça se fait que le feuillage bouge ? » Il fronce les sourcils, sachant très bien que c'est improbable, impossible même ! Malgré sa logique, il a la désagréable impression que les arbres lui lancent un regard rempli de reproches, leur feuillage frémissant de colère.

Sans tarder, Maxime quitte les lieux en pouffant d'un rire nerveux. Allons donc ! Des arbres, ça n'a pas de sentiments ! Pourtant…

Méchante corvée !

TE VOILÀ, enfin ! s'écrie la voix survoltée de Gabriella, lorsque Maxime referme la porte d'entrée derrière lui.

À peine a-t-il mis les pieds dans le hall, qu'elle accourt au-devant de son protégé. Habillée d'un peignoir, la mine affolée, elle a, au sommet de la tête, un tas de mèches rebelles qui bougent en tout sens.

— Seigneur, j'étais morte d'inquiétude ! J'ai cru que tu ne reviendrais jamais !

D'un élan maternel, elle s'empresse de lui enlever les petites boules de bardane accrochées à ses vêtements. Du coup, on lui assène une série de tapettes toutes plus vigoureuses les unes que les autres. D'un geste outré, Maxime recule, gardant une distance respectueuse. C'est qu'il a passé l'âge de se faire épousseter comme un marmouset !

Soudain, l'humeur de sa gardienne change de couleur, aussi rapidement qu'on retourne une chaussette à l'envers. Elle croise les bras, pince les lèvres, sous le coup d'une rage froide.

— N'ai-je pas été assez claire avec toi ? Ce n'est pas la première fois que tu déroges à mes règlements. Cette fois-ci, je ne passerai pas l'éponge, je vais devoir t'imposer une punition, mon trésor.

Maxime hausse les sourcils d'étonnement.

– Qu'est-ce que j'ai fait de mal ? Se promener dehors n'est pas *illégal*, que je sache !

– Tu es allé dans les bois… Je t'ai aperçu !

– Et alors ?

– Tu as enfreint le règlement ! dit-elle d'un ton catégorique. C'est pour éviter les ennuis que j'exige de tous les enfants qu'ils ne quittent *jamais* le sentier !

– Pourquoi ne pas téléphoner à mes parents, tant qu'à faire ? rétorque Maxime, excédé. Ils n'ont qu'à venir me chercher ! Ça mettra un terme à vos ennuis !

Gabriella penche la tête et prend un air navré, pathétique.

– Je vais te raconter un accident qui s'est déroulé…

Elle laisse sa phrase en suspens, le regard fixe. Son mutisme tourmente tout à coup Maxime. Est-il arrivé malheur à ses parents ? Puis, elle ajoute :

– Un terrible événement s'est produit… il y a très longtemps. À l'époque, j'avais sous ma garde, Mathieu, un jeune garçon de ton âge. Comme toi, il n'en faisait qu'à sa tête. Un soir, il s'est aventuré dans la forêt malgré mon interdiction.

Rassuré, Maxime devine maintenant où veut en venir sa gardienne. Mais, un autre détail vient l'embêter. Depuis le hall d'entrée, il voit l'arche qui s'ouvre sur la salle à manger éclairée. La petite silhouette de Justine s'y trémousse. Curieuse, elle le salue joyeusement. Elle s'immobilise, la main en l'air. La voix de Chanel l'a interpellée et l'incite à venir s'asseoir pour manger. « La collation des biscuits », pense Maxime.

Cette simple constatation froisse son ego. Chanel et Justine sont, à son grand déplaisir, à portée d'écoute. Le garçon baisse les yeux en ruminant de sombres pensées.

– Maxime ! Regarde-moi quand je te parle ! le sermonne Gabriella. Bon, voilà qui est mieux. Comme tu le sais déjà, la forêt qui entoure la maison s'étend à des kilomètres et des kilomètres à la ronde. En l'arpentant sans repères, il est facile de s'y perdre. De plus, c'est extrêmement dangereux ! Car, la nuit, des créatures sauvages y rôdent.

Elle fait une pause, plisse les yeux et mesure l'attention de son auditeur. Maxime se tient coi. Pas le choix, autrement le monologue moralisateur risque de s'étirer sans fin. Satisfaite, elle enchaîne, fougueuse :

– Ce petit garnement s'est précipité dans la gueule du loup ! Je veux dire… s'est perdu dans les bois, se reprend-elle plus doucement. Au début, je l'ai cherché dans les environs. En vain. Une escouade de sauveteurs a alors ratissé la vaste forêt dans l'espoir de retrouver le gamin. Aucune trace de Mathieu. Après plusieurs jours d'inquiétude et de recherches infructueuses, j'ai dû admettre… l'inadmissible. À cause de moi, Mathieu avait disparu…

Maxime ne sait que dire. Cette histoire de disparition le met mal à l'aise. Ce n'est pas la sienne, mais il en éprouve un serrement au cœur. Finir ses jours égaré en forêt, quelle calamité !

– Évidemment, à la suite de ce tragique événement, j'ai instauré des règles beaucoup plus sévères, conclut Gabriella. Mets-toi à ma place pendant une petite minute et essaie d'imaginer la douleur que j'ai ressentie à la perte de cet enfant. Je l'aimais très fort… Tu ne voudrais pas causer de peine à ta mère, n'est-ce pas Maxime ?

Cette question l'ébranle.

– Non, bien sûr, se contente-t-il de répondre, soutenant son regard de félin.

Ses yeux de chatte siamoise, braqués sur lui, semblent savourer sa réponse. L'espace d'une microseconde, il note un soupçon de sourire victorieux sur ses lèvres. À croire que cette anecdote n'était qu'un moyen détourné pour l'embobiner bien serré.

« Elle est bizarre cette bonne femme ! »

Maxime ne s'en formalise pas, car une autre personne le préoccupe davantage. Sa mère. Pourquoi le mot mère le trouble-t-il tant et creuse-t-il en lui un grand vide ? Quelque chose s'éveille à la lisière de sa conscience. Puis, la voix de sa gardienne retentit et le fil de ses pensées est coupé net.

– Il y aura une conséquence à ton acte irréfléchi. Ça ne sera pas terrible, tu vas voir. Je suis certaine que tu sauras en tirer profit.

Dépité, Maxime apprend qu'il aura la tâche de laver toutes les fenêtres extérieures de la maison. Saisi, il ne songe même pas à rouspéter.

« Méchante corvée en perspective ! » se dit-il.

La présence des jeunes filles le sort tout à coup de sa torpeur. Justine lui fait un câlin, ses petits bras le serrant avec affection. Réservée, Chanel la suit de près, sans un regard pour lui. Justine desserre son étreinte et lui souhaite bonne nuit. Pour toute réponse, il ébouriffe distraitement les cheveux de la fillette. En dépit de tout son bon vouloir, Maxime n'arrive même pas à dire bonne nuit.

Sa bouche reste obstinément fermée !

Une demi-heure plus tard, lorsqu'il glisse sous les draps, après sa collation habituelle – biscuits aux graines pour les oiseaux –, Maxime est surpris d'avoir sommeil. Il a tout de même dormi une partie de la journée !

Ses pensées vagabondent, tournant autour de Chanel, de ses parents et de cette gardienne aux comportements aussi imprévisibles qu'ostentatoires.

Chanel... « Elle n'a même pas daigné me regarder, songe-t-il, déçu. C'est la seule personne de mon âge avec qui je pourrais me lier d'amitié, et je trouve le moyen de tout faire rater. » Il revoit la confrontation entre lui et la belle rebelle. « Quel fiasco ! Tu es le roi des cons ! »

Son père… Un souvenir, pâle, éphémère, traîne aux confins de sa mémoire. Ça lui revient en un défilé saccadé : matin brumeux, lui, son père et – quelqu'un d'autre ? Qui donc ? Sa mère ? Probable. Ils étaient heureux, tous les trois, à taquiner la truite sur un lac paisible, vaporeux, ensuite… le néant. Un fragment de mémoire si loin, si ténu, qu'il doute presque de son authenticité.

S'est-il fabriqué ce souvenir ? Imaginé ? L'a-t-il réellement vécu ?

Sa mère… Un long silence perturbe ses pensées. Le vide. Est-ce possible ? Il essaie encore, serre les paupières de plus belle et… rien. Désemparé, il se rend compte qu'il ne distingue plus la couleur de ses yeux. Ni son sourire tendre. Ni son odeur parfumée. Ni même son visage. Peut-on oublier si rapidement le visage de sa mère ? Pourquoi toute cette confusion dans sa tête ?

Gabriella ! Tout ça est de sa faute ! *Tu ne voudrais pas faire de peine à ta mère ?* Quelle étrange question ? Bien sûr que non ! « Avec son esprit de famille tordu, on dirait qu'elle se prend pour ma propre mère. » Sans trop savoir sur quoi fonder cette impression, il semble qu'elle lui cache quelque chose.

Une réalité qu'il serait extrêmement difficile d'accepter.

Demain, Maxime mettra fin à son manège. Il en a marre de cet endroit ! Sur ces réflexions, la lourdeur gagne ses paupières. Somnolant, il a néanmoins des sueurs froides à l'idée de sombrer dans un sommeil bourré de cauchemars.

CHANEL

Bon, me voilà en sécurité dans ma chambre. Je n'ai rien à craindre. Respire, Chanel, détends-toi !

Je tente de me rassurer… car j'ai fait une autre incursion. Et pas n'importe laquelle ! J'ai pénétré l'univers *impénétrable* de Gabriella ! C'est loin d'être banal comme voyage télépathique ! J'ai vraiment un talent inouï pour me glisser dans la cervelle d'autrui. Devrais-je m'en réjouir ou céder à la panique ? Si Gabriella venait à l'apprendre, que me ferait-elle subir ? Je me le demande… Mieux vaut ne pas ébruiter ce don qui me vient de je-ne-sais-trop-où.

Quelque chose ne tourne pas rond dans cette maison, à commencer par Gabriella, bien entendu ! Lorsqu'elle a apostrophé Maxime, je n'ai pu m'empêcher d'écouter. J'ai tout entendu du début à la fin.

Pauvre Maxime, je le plains. Laver toutes les fenêtres de la maison, c'est pas mal excessif comme punition ! Humiliant et inutile ! Je n'ai pas osé le regarder, respectant le peu de dignité qui lui restait (j'étais moi-même assez remuée par ma récente incursion !). Mais, je regrette. Sensible, j'ai ressenti que ce geste l'avait laissé à lui-même. Ce n'est pas en fuyant le regard des autres qu'on leur manifeste notre empathie. Bonté divine, bien plus facile à dire qu'à faire !

Sincèrement, Maxime ne mérite pas ça. Il s'active déjà suffisamment sur le terrain. Pourquoi l'accabler d'une besogne supplémentaire ? Qu'est-ce qu'elle a de travers Gabriella ? C'est une marâtre, ou quoi ? Plus les jours passent, plus elle m'inquiète. Me fait peur...

J'ai suivi attentivement le triste récit de Mathieu, ce garçon disparu en forêt. Au fond, j'étais à l'affût d'une brèche. Une mince ouverture qui me permettrait de m'immiscer dans la conscience de Gabriella. Car ce prénom, étrangement, m'était familier. Alors, piquée par la curiosité, je me suis convertie en sentinelle, au cas où...

À un moment donné, Gabriella a marqué une pause. J'ai senti une onde d'énergie vibrer le long de mon dos. Presque aussitôt, une force imprévisible m'a happée. Vlan ! J'étais aux premières loges : directement projetée dans les coulisses de son esprit ! Une intrusion à laquelle, bien franchement, je ne m'attendais guère.

Or, à son insu, pendant un court laps de temps, j'ai été témoin d'une tout autre version de cette histoire. Mathieu ne s'est pas perdu en forêt. Oooh non ! Paniqué, épuisé, Mathieu manquait d'air, ses bronches violentées par des litres d'eau. Horreur ! Il était en train de se noyer ! AIDEZ-LE QUELQU'UN ! ai-je hurlé dans ma tête.

Malheureusement, les événements, immuables dans le passé, continuèrent à défiler en kaléidoscope devant moi. Remous d'eau glacée, lèvres bleuies par le froid, les bras du garçon fouettaient désespérément la surface de l'eau. Tout à coup, des mains décharnées s'agrippèrent à lui. Cherchaient-elles à le sauver ? Ou à le plonger plus profondément sous l'eau ? Je ne puis l'affirmer, car tout est devenu confus, la scène se tordant dans un tourbillon d'encre noire.

La vision s'est interrompue. Que lui est-il arrivé ? Mathieu a-t-il réussi à s'en sortir ? Est-il mort ? Impossible de le préciser. Au dire de Gabriella, il a disparu en forêt. Pourquoi cet horrible mensonge ? Quelle vérité camoufle-t-elle ?

Cette gardienne m'a toujours donnée froid dans le dos, je l'avoue. Je la trouve possessive, parano sur les bords et prompte à monter sur ses grands chevaux. Justine aussi éprouve de la crainte. Je le vois dans ses yeux. Dans ses gestes. En outre, le comportement de la petite commence à m'inquiéter. Elle n'est plus la même ces derniers temps. Elle a peur, elle aussi…

Mais, il y a plus encore, beaucoup plus. Malgré son apparence chétive, il émane de Gabriella une force qui n'est – comment dire ? – pas normale. En gardant mes distances, j'évitais de la confronter et, en étant docile, elle me laissait tranquille. Autrement dit : je jouais à l'autruche. Ceci a assez duré ! Je ne peux plus tolérer ça !

C'est bien beau, mais comment se secouer ? Par où commencer ?

Bon… *Primo*, se méfier de Gabriella comme de la peste. Et *secundo*, avertir Maxime. C'est capital ! L'union fait la force, n'est-ce pas ? Je sais, je sais, je m'étais déjà promis de lui révéler certaines choses. De me livrer honnêtement, mais… je crains de me sentir rapetissée sous son regard. Jugée. Allons, Chanel, arrête de vouloir t'incarner en huître hermétique et ouvre-toi !

Et s'il ne me croyait pas ?

Comment expliquer à quelqu'un que l'on peut sonder son âme ? C'est délicat comme sujet. Je risque de passer pour une illuminée. Ou encore une folle ! Ou, pire, une écornifleuse télépathique qui s'amuse à violer l'intimité de l'esprit des gens !

Eh bien ! Chanel, qui ne risque rien n'a strictement rien ! Bon, alors, c'est décidé, demain je me confie à Maxime.

Tiens, avant de me coucher, je vais aller border Justine et la rassurer du mieux que je peux.

Partir ou rester ?

L E SOUFFLE COURT, la rage au cœur, Maxime éteint sa lampe de poche et s'immobilise. Il fait nuit. Il s'adosse contre le mur et observe le couloir sombre qu'il a parcouru plus d'une fois. Le découragement commence à le gagner. Pourtant, au début, son plan semblait parfaitement réalisable. Son objectif : donner un coup de fil. Clandestin.

Bien entendu, ses parents sont hors d'atteinte, bossant dans un pays étranger, ce qui ne l'empêche pas de contacter l'un de ses copains. Toutefois, il a fouiné, en prenant mille précautions pour ne pas réveiller sa fameuse gardienne, jusqu'à ce qu'il capitule. Nulle trace d'appareil téléphonique ! Ni à cadran, ni mural, ni à clavier ! C'est inimaginable ! Même pas d'ordinateur pour envoyer un courriel ! Rien de rien !

« Ils font quoi les parents lorsqu'ils veulent prendre des nouvelles de leur rejeton ? Ils invoquent le Saint-Esprit ? » se dit-il, passablement déçu.

Côté cauchemar, la nuit ne l'a pas trop malmené, mis à part ce rêve grotesque où, torchon à la main, il se débattait contre un bataillon de fenêtres crasseuses et récalcitrantes.

Dès le réveil de Maxime, un plan d'action, solide comme le béton, a germé dans son esprit. Alors que le ciel était encore tavelé d'étoiles, il est donc sorti du lit avec la ferme intention d'informer son meilleur ami de sa pitoyable situation. Maxime sait qu'il peut compter sur lui, d'ailleurs il lui aurait rendu la pareille, le cas échéant. Avec des propos bien sentis, il lui expliquerait que Gabriella lui rend la vie impossible, qu'il a besoin de renfort pour sortir de cette pension au plus pressé. Ainsi, dans un temps record, on viendrait le chercher.

Rescapé, libéré, il quitterait le foyer de Gabriella pour ne plus jamais y remettre les pieds ! Un plan viable à la condition d'avoir un téléphone ou un quelconque moyen de communication.

À présent, les premières lueurs de l'aube chassent doucement la nuit. Il entend, depuis la cuisine, une succession de bruits légers. Qui est là ? Gabriella ? À six heures du matin ? « Ouais, sûrement en train de nous concocter un déjeuner inoubliable, comme pour se faire pardonner ses sandwichs exécrables ! » pense-t-il, amer. Du coup, elle anéantit le peu d'espoir qu'entretient Maxime : téléphoner à son ami sans lui en réclamer l'autorisation.

Il fulmine intérieurement. « En tout cas, Max, il est hors de question qu'elle t'astreigne aux tâches ménagères ! Peu importe la raison ! »

Que va-t-il faire maintenant ? Plier bagage et déserter cette maison. Pour aller où ? Parcourir la vaste forêt au risque de s'y perdre et d'y affronter des bêtes redoutables. Non, merci ! Gabriella l'apercevrait de toute façon ; c'est inévitable, elle a des yeux qui voient tout !

Maxime soupire, se mord la lèvre. Peut-il quitter cet endroit et laisser tomber Chanel et Justine ? Sans rien leur dire ? Ne serait-ce qu'un petit mot d'adieu ?

« Ça serait moche de ma part, marmonne-t-il tout bas. Je suis coincé ici ! »

Il glisse une main dans ses cheveux en quête d'inspiration, lorsqu'un grattement soyeux attire son attention. En baissant les yeux il voit une boule de poil qui détale à vive allure sur le plancher du corridor. Dans la faible lumière que répandent quelques portes ouvertes, il distingue sur la toison de l'animal de petites rayures noires et blanches. Un rat zébré ! Une rareté ! La bestiole se rue frénétiquement vers la porte de la bibliothèque, au bout du couloir, comme si un chat invisible lui courait après.

Pourquoi ce rat lui rappelle-t-il quelque chose ?

Intrigué, Maxime décide de le poursuivre. À pas feutrés, il longe le couloir et s'arrête au seuil de la bibliothèque. Où est-il allé ? Dans cette mer de livres, un rongeur a l'embarras du choix pour se faufiler à la dérobée. « Dommage que je ne puisse pas en faire autant ! » songe-t-il en fouillant du regard cette vaste pièce.

Délaissant le rat, il effectue quelques pas, se laisse séduire par l'atmosphère de l'endroit. Il remarque, pour la première fois, des créatures fantastiques qui surplombent les étagères de la bibliothèque et ceinturent la pièce. Une collection de dragons, de gargouilles et de diablotins, d'un réalisme à vous donner la chair de poule. Accueilli par ces innombrables livres et bêtes imaginaires, Maxime a l'indéfinissable sentiment de pénétrer dans un autre monde. Un monde plongé dans une perpétuelle semi-obscurité, étoffé d'histoires mystérieuses dans lesquelles aventures et frissons sont au rendez-vous.

Fasciné, il avance vers le fond de la longue salle, où les fenêtres parées de rideaux ivoire tamisent la lumière naissante. Une brise joue dans la légèreté des étoffes, façonne un nombre infini de courbes ondulantes. Dans un coin, le murmure de l'aquarium trouble le silence.

En contournant les fauteuils, un froissement de cuir rigide le fait tressaillir. Il s'aperçoit alors qu'il n'est pas seul. Sur l'un des fauteuils rouges, recroquevillée dans une couverture en *polar*, s'éveille une personne : Chanel.

Que fait-elle ici ? Mollement, elle se déplie.

« Max, réfléchis à ce que tu vas lui dire pour motiver ta présence dans la bibliothèque. Surtout que tu y mets rarement les pieds. Dispose-toi à lui adresser la parole, d'accord ? Ouais, pourvu qu'elle ne fasse pas allusion à ta tondeuse… »

– Salut Chanel ! s'entend-il prononcer d'une voix qu'il veut chaleureuse.

Enroulée dans sa couverture, elle ouvre un œil avec l'effort d'un dormeur qui a les paupières parfaitement scellées. Lorsque son regard rencontre celui de Maxime, Chanel arque les sourcils, un brin surprise. Le garçon appréhende une réplique aigre-douce.

— Salut, répond-elle d'une voix ensommeillée. Déjà debout ? Qu'est-ce qui t'amène de si bon matin ?

— Euh, rien de spécial, je… je me promène.

— Tu promènes ta lampe de poche ? commente-t-elle, en jetant un regard oblique sur sa main droite. Ou bien tu cherches quelque chose ?

— Ben, ouais, dit-il, en reprenant ses esprits à toute vitesse. Je tentais de débusquer un rat, histoire de varier notre alimentation. Mais, c'est plutôt anémique comme repas, alors j'ai laissé tomber.

Pour toute réponse, Chanel émet un grognement.

— Si je te dérange, je peux m'en aller, s'excuse-t-il en reculant. Tu veux sûrement être seule… pour dormir… ou bien dessiner…

— Non, reste, dit-elle dans un filet de voix. Justement, je voulais… me lever.

À voir ses yeux rétrécis par le sommeil, on devine la courte durée de sa nuit. A-t-elle été la proie de mauvais rêves ? Bien possible. La tentation est trop belle pour Maxime. Curieux, il demande :

— Tu viens souvent dormir dans la bibliothèque ?

Chanel opine tout en baillant à s'en décrocher les mâchoires. « Drôle d'endroit pour dormir », pense-t-il. Sa revanche serait-elle proche ? Il hasarde :

— Une histoire de cauchemar, c'est ça ?

À moitié réveillée, elle fait « oui » de la tête. Ça dépasse ses plus belles espérances !

— Eh bien ! bienvenue au club ! lance-t-il vainqueur. Y a pas de compétition, mais je te préviens tout de suite, je suis dur à battre, car des cauchemars, j'en fais à la pelletée ! Mais dis-moi, la nuit, ici, ça ne doit pas être très sympa. Et puis, au risque de paraître capricieux, ces fauteuils, côté confort, n'arrivent pas à la cheville d'un bon lit douillet. Qu'est-ce qui t'attire ici ?

La joue rayée de fines mèches sombres, Chanel le dévisage. Une lueur amusée danse dans ses yeux.

— Justine, fait-elle simplement.

— Justine ? répète Maxime, décontenancé. Comment ça ?

Avant de préciser davantage, elle bâille de nouveau et s'étire. Sa couverture glisse, révélant sa camisole rouge sang. Maxime n'a guère le temps d'admirer les fines bretelles qui mettent en valeur les épaules nues de Chanel. D'un geste brusque, elle s'enroule jusqu'au cou, prétextant un frisson. Maxime sent tout le contraire, son thermostat intérieur étant, tout à coup, très élevé.

De quoi... de qui est-il question déjà...

Vision ou hallucination ?

– Justine vient régulièrement se réfugier à la bibliothèque, mentionne Chanel avec une soudaine gravité. Ma chambre étant située tout près de la sienne, je l'entends souvent pleurer. C'est le genre de truc qui me bouleverse. Laisser une enfant toute seule avec son chagrin, ça se fait pas !

Elle s'interrompt, comme si ces épisodes du passé l'affligeaient personnellement.

– Dès que je perçois ses sanglots, enchaîne-t-elle, je m'empresse d'aller la réconforter dans son lit. Toutefois, ma présence ne suffit pas à l'apaiser, elle m'implore toujours de l'amener ici.

– Pourquoi la bibliothèque ? demande Maxime en déposant sa lampe de poche avant de s'asseoir.

– Parce que c'est le seul endroit où elle se sent en sécurité. Où elle a le moins peur, tu comprends. Elle fait de l'angoisse, la pauvre petite. Je l'apaise de mon mieux, lui fais grignoter une pomme pour l'occuper, lui parle doucement.

– À t'entendre, on dirait qu'elle est emprisonnée dans son cauchemar, incapable de s'éveiller.

– Au début, c'est ce que je croyais, moi aussi.

Chanel marque une pause. Son visage semble pâlir. Ou est-ce le noir bleuté de sa somptueuse chevelure qui accentue la blancheur de sa peau ?

– Justine est terrorisée par… l'autre maison de sa vision, déclare-t-elle d'un ton préoccupé. Une maison munie de racines mouvantes me décrit-elle, habitée par un monstre effrayant.

– Eh ben ! dis donc, je compatis avec la petite ! Moi, à part le fait d'être saisi de courbatures désagréables à mon réveil, j'ai la chance de plus me souvenir de rien. Dommage, tu pourrais venir me réconforter, ça serait sympa… T'occupe pas, je blague ! ajoute-t-il en voyant les gros yeux que lui fait l'adolescente.

Un silence timide s'installe entre eux. Les gargouilles, haut perchées, semblent leur lancer des sourires narquois.

– Je ne suis pas expert en cauchemars, reprend Maxime, quoique ça dépende, mais à mon avis, Justine est victime de terreurs nocturnes.

– Tu me comprends mal, rétorque Chanel.

– Mais non, mais… quoi ?

Il est soudain perplexe. Une lueur brouille le regard de Chanel. Une lueur qu'il n'a aucun mal à reconnaître. La peur. Si palpable, qu'une étrange sensation s'empare de lui. Sa poitrine est comprimée sous l'assaut de tentacules invisibles.

– J'aimerais comprendre, l'encourage-t-il en changeant de position afin de se détendre. Explique-moi.

Chanel desserre la couverture autour de ses épaules et secoue la tête, comme pour délier les nœuds de sa peur.

– La nuit, Justine a une perception visuelle qui diffère de celle du jour.

– Qu'est-ce que tu veux dire ?

– Sa vue, modifiée par je ne sais quel procédé, distingue la maison sous un autre aspect. Un décor délabré qui n'a aucune ressemblance avec la réalité. Insolite, n'est-ce pas ?

Maxime opine silencieusement, mais demeure sceptique.

– Je sais, c'est contestable, poursuit-elle, mais ce qu'elle discerne durant la nuit, la terrorise. Vraiment ! Et ce n'est pas une façon détournée de monopoliser mon attention, je te l'assure. J'essaie donc de la calmer du mieux que je peux. Écoute, vaut mieux garder ça entre nous. Autrement, Gabriella va s'imaginer que Justine couve une maladie grave ou quelque chose d'incurable.

Maxime médite là-dessus une minute, en balayant du regard ce lieu insolite. Un tantinet sinistre. Peuplé de créatures, certes envoûtantes, mais au panache inquiétant.

– Un détail m'échappe, dit-il enfin. Pourquoi cet état de conscience lui arrive-t-il que la nuit ? Et pourquoi affectionne-t-elle précisément la bibliothèque ?

– Ça, je n'en sais rien.

– Peut-être que la petite est victime d'hallu-cinations, ou quelque chose du genre. La nuit on a tous tendance à voir les objets de façon déformée. Tu ne penses pas?

Chanel serre les mâchoires, le fixant d'un regard flamboyant. La rebelle en elle renaît.

– Écoute-moi bien, Maxime! s'emporte-t-elle. C'est très important! Il n'est pas question d'hallucination, ni de psychose, ni de folie ou de tout autre démence! Compris!

– Hé là! Relaxe! Loin de moi l'idée de t'insulter, Chanel! s'exclame le jeune garçon en levant les mains au-dessus de sa tête, manifes-tant son innocence.

– Désolée…, murmure-t-elle en esquissant un sourire d'excuse. C'est sûrement du surme-nage cérébral…

Maxime ne saisit pas très bien ce qu'elle entend par là. Néanmoins, aucun doute pos-sible : quelque chose de louche se trame dans cette maison d'hébergement. Cette conver-sation prend une orientation qui le surprend : elle ne tourne pas à la dérision. Au contraire, c'est du sérieux. Chanel est loin d'être la jeune fille antisociale qu'il avait jugée dès leur pre-mière rencontre. D'accord elle est un peu volcanique, mais pour le reste, elle est cordiale, sensible et, surtout, entourée d'un mystère qu'il a très envie de découvrir.

Maxime se sent soudain grisé de joie.

– Moi aussi, tu sais, j'ai mes petits problè-mes, avoue-t-il. Peut-être qu'ensemble on peut s'entraider. À mon avis, pour sauvegarder notre santé mentale, il serait sage de quitter cette pension. Sinon, on risque de devenir… zinzin, ajoute-t-il en tournoyant son index près de sa tempe. J'y pense, sais-tu si cette merveilleuse garderie est dotée d'un téléphone, à tout hasard?

— Il n'y en a pas, sauf… un portable.

— Sans blague! Un cellulaire! Où ça? exulte Maxime en se redressant.

— T'emballe pas, il n'est pas à notre portée, si c'est ce que tu veux savoir. Gabriella le garde sous haute surveillance, comme si elle craignait qu'on ait une envie folle de s'en servir.

— Rien de plus normal, non? réplique-t-il en se laissant aller contre le dossier du fauteuil. À propos, pourquoi Gabriella n'a-t-elle pas avisé les parents de Justine de sa condition? Je parie que la petite s'ennuie d'eux à mourir.

— C'est là tout le problème, déclare Chanel, sa crinière de jais auréolant son visage empreint d'une soudaine mélancolie.

— Laisse-moi deviner, ils ont péri dans un accident.

— Pas dans un accident…

Pendant un instant elle demeure silencieuse, le regard incertain. Maxime redoute la réponse.

— Les parents de Justine n'habitent plus ses souvenirs, dit-elle avec gravité. Toi, tes parents sont-ils toujours présents dans ton cœur?

Aveu inusité

P ENDANT UN INSTANT, Maxime a l'impression de recevoir un coup de poing au creux
de l'estomac. Il n'est donc pas le seul à être
assailli de souvenirs fugaces.

Sa mère ? Il ne sait même plus quel visage lui
peindre. Son père ? Se soucie-t-il de savoir s'il est
entre bonnes mains ? Où sont ses parents ? Que
font-ils ? Pourquoi n'appellent-ils pas pour prendre
de ses nouvelles ? Que signifie leur silence ? Ils ne
s'inquiètent pas pour Maxime, ou ils ne pensent
plus à lui ? Comble d'ironie, plus les jours passent,
plus leur souvenir semble s'estomper dans l'esprit
du garçon. Soudain abattu par cette brève
introspection, il ne sait que répondre, l'atmosphère glauque de la pièce ajoutant à son désarroi.

La main de Chanel, compatissante, se pose
sur son bras.

— Écoute Maxime, ça va te paraître bizarre,
mais je ressens ta peine.

Il lève les yeux vers sa nouvelle amie. Aban-
donnant sa couverture, elle l'encourage d'un
sourire, sa camisole à bretelles rehaussant
gracieusement sa taille. En imprimé, un chat
noir aux oreilles démesurées fait le dos rond.

– Toi aussi tu as l'impression que tes souvenirs t'échappent ?

D'un geste nerveux, Chanel tourne une bague à tête de dragon qu'elle porte au doigt. Maxime lorgne le bijou ; il ne l'a encore jamais vu.

– Oui, moi aussi, j'éprouve les effets d'une rupture, confie-t-elle. Parfois, j'ai le sentiment que ma vie n'a jamais existé ailleurs qu'ici. Au début, je n'y ai pas prêté attention. Peut-être qu'au fond je fuyais cette pensée qui me déchirait le cœur. Pourtant, ma mémoire est excellente. Je peux me souvenir de plein de trucs qui se sont déroulés entre ces murs. Mais si j'essaie d'aller au-delà de cette maison d'hébergement, plus loin dans le passé, c'est le vide.

Maxime reste bouche bée. Que leur arrive-t-il, à lui et à ses deux camarades ? Sont-ils amnésiques ? Ou atteints d'une maladie rare, dont les séquelles les marqueront à jamais ? Pourquoi diable Gabriella ne leur dévoile-t-elle rien ? Tente-t-elle de leur épargner un choc terrible ? Un choc dont ils ne pourraient se remettre ? Que signifie tout ce mystère ?

– As-tu réclamé des explications à Gabriella ? s'informe-t-il au bout d'un moment. Bizarre ces pertes de mémoire. C'est à n'y rien comprendre. Selon moi, c'est pas le fruit du hasard. Elle nous cache sûrement quelque chose. Enfin quoi, nous sommes en droit de connaître la vérité !

– Il y a longtemps que j'ai tenté de clarifier la question auprès d'elle. La réponse a toujours été la même. À savoir que lorsque nous sommes coupés de notre famille, il arrive, à l'occasion, qu'une amnésie partielle survienne. Comme si notre cerveau nous épargnait la douleur que nous cause cette séparation. Elle a précisé que ce genre de symptôme n'a rien d'inquiétant. Une bien piètre explication, si tu veux mon avis.

– Bien d'accord, approuve l'adolescent d'un ton las.

Le soleil matinal entre timidement par les fenêtres, auréolant d'une lueur argentée un griffon cramponné à la corniche d'un meuble antique. Toutes griffes sorties, il arbore un regard vigilant.

– C'est cette bague qui m'a redonné l'espoir, reprend Chanel en caressant la tête de dragon. Je l'ai trouvée sur ma table de chevet, il y a deux jours. J'ai été immédiatement attirée par son aspect, son style baroque.

– Une bague, c'est joli, souligne Maxime. Mais comment peut-elle t'apporter un regain d'espoir?

– Parce que lorsque j'y touche, elle m'inonde de quiétude et éveille en moi des images. Des souvenirs qui n'ont rien à voir avec le monde qui entoure cette pension. Peut-être qu'il s'agit de fragments de ma vie antérieure. Tu vas croire que je me fais des illusions, mais je suis pratiquement certaine que cette bague a une importance dans ma vie. Pour l'instant, j'ignore laquelle.

Maxime ne présume rien, il réfléchit intensément. Soupçonneux, il interroge:

– D'après toi, qui a déposé cette bague sur ta table de chevet ?

– Heu... je l'ignore.

– Je donnerais ma chemise que c'est Gabriella, avance-t-il, sûr de lui. Pour pallier son manque flagrant d'explication, elle t'a offert ce bijou. Un antidote à ton ennui et qui occupe fort bien ton esprit.

Chanel fronce les sourcils tandis qu'elle dissimule le bijou dans la poche secrète de son pyjama. Elle n'adhère pas à cette hypothèse, c'est évident.

– Non, c'est probablement quelqu'un d'autre, réplique-t-elle. Peut-être le même type qui t'a écrit ce mot d'avertissement, ajoute-t-elle, songeuse.

– Quel type ? demande le garçon, interloqué. Tu connais l'auteur de ce message !

En silence, elle jette un regard alentour, comme pour s'assurer qu'il n'y a pas d'oreilles indiscrètes. Puis, elle s'incline vers Maxime et annonce à voix basse :

– Bon, alors, vaut mieux commencer par le début. Ce que je m'apprête à te révéler va te sembler assez incroyable. Mais d'abord, tu dois me promettre de pas te moquer de moi. Promets-le-moi.

L'intensité de ses yeux reflète à la fois franchise et détermination, avec une nuance d'anxiété. Fort intrigué, Maxime acquiesce.

– Eh bien ! voilà... j'ai des pouvoirs télé-pathiques...

– Quoi ? Tu peux lire dans mes pensées ! s'exclame-t-il.

– Où vas-tu chercher ça ? Bien sûr que non ! réplique-t-elle en levant les yeux au plafond. En réalité, c'est beaucoup plus complexe. Je réussis à sonder l'âme des gens, captant ainsi leurs émotions, parfois sous forme d'images d'un réalisme bouleversant. À vrai dire, depuis que tu m'as fait toucher ce bout de papier, ce phénomène, que je n'arrive pas à maîtriser parfaitement, m'en a fait voir de toutes les couleurs.

Ce fameux message. À présent, Maxime le considère d'un autre œil. Sans cette note, jamais il n'aurait entrepris d'aller au-devant de Chanel. Non. Il ne serait pas là, à discuter avec elle, à nouer des liens.

– J'ai remarqué, en effet, la mauvaise influence que ce billet a eue sur toi. Et, heu, je m'excuse de t'avoir accusée à tort. C'était pas sympa de ma part.

Un sourire timide illumine le visage de la jeune fille. Une légère teinte de rose vient colorer ses joues normalement si blanches.

– Chanel, qu'est-ce qui s'est passé, exactement ?

– Je crois avoir découvert l'auteur de ce message, déclare-t-elle, le front plissé. Tout s'est déclenché au contact de ce papier. Sans que je puisse expliquer le phénomène, j'ai été propulsée ailleurs. Outre ce lieu sombre et insolite, ce qui m'a le plus frappée, c'est l'aspect physique de l'être planté devant moi. Il n'avait rien d'humain…

L'adolescente raconte avec force détails ce face à face inopiné. Son récit terminé, elle en est encore toute retournée. Il est clair qu'elle ne fabule pas. Il est clair aussi qu'elle est douée pour voir au-delà des apparences. Une clair-voyance, toutefois, qui n'explique en rien ce qui leur arrive. Troublé, Maxime lui lance :

— Une créature hideuse qui écrit des menaces, moi, ça me rassure pas du tout. D'ailleurs, que cherche-t-elle à faire ?

— Communiquer avec nous, se hasarde Chanel.

Maxime cligne des yeux.

— Communiquer quoi ?

— J'en sais rien, moi. Reste à trouver.

— Et tu te dis télépathe.

— Hé ! Est-ce que j'ai le mot devin écrit dans le front ? éclate-t-elle en se le tapotant. Non ! Je devine pas tout, figure-toi !

— Désolé, mes deux pour cent de cervelle ont parlé, baragouine Maxime.

Un ange passe en haute voltige. Toujours en hauteur, entassés au-dessus d'un meuble vitré, des diablotins accroupis ont la bouche fendue jusqu'aux oreilles. On dirait qu'ils se tordent de rire.

— Il y a autre chose que tu dois savoir, reprend Chanel avec vivacité. C'est à propos de Gabriella. Oh ! Maxime, il faut se méfier d'elle ! Cette gardienne ratée me donne des frissons.

C'est vrai quoi, elle n'agit pas normalement.
Elle est dérangée !

    — C'est gentil de me prévenir, mais tu
sembles oublier sa taille, raille-t-il. Aussi mince
qu'une galette, elle ne fait pas le poids.

    — Je ne blague pas, réplique-t-elle. Lors-
qu'elle a parlé de ce garçon perdu en forêt,
j'ai...

    Les sourcils légèrement froncés, toute
l'attention de Chanel est attirée par quelque
chose derrière le dos de Maxime. Ce dernier se
retourne.

    Marchant au milieu de la pièce, Justine se
dirige droit sur eux, le visage soucieux.

Catastrophe à la cuisine

– **C**HANEL ! Chanel ! Il faut que tu viennes voir ça ! s'écrie la fillette.

Justine avance à pas rapides, grignotant nerveusement l'ongle de son pouce.

– Que se passe-t-il ? demande l'adolescente en se levant d'un bond.

– Il y a… j'ai vu… oh ! viens, je t'en prie !

Manifestement affolée, Justine lui prend le bras et l'agite avec insistance. Chanel échange un regard avec Maxime. Des peurs nocturnes, le jour ? semble-t-il lui dire.

– Ne t'inquiète pas, ma puce, nous sommes là, tempère Chanel. Aimerais-tu boire un bon chocolat chaud ? Viens t'asseoir avec nous…

– Arrête ! proteste Justine en tapant du pied. Tu dois venir avec moi, tout de suite ! Si Gabriella s'en aperçoit, elle va être…

Soudain, un cri retentit au loin. Un long braillement de surprise. Justine se raidit, le front marqué par l'inquiétude. Puis, le cri, qui provenait évidemment de Gabriella, se met à tourner au hurlement. D'une intensité à faire frémir toutes les créatures en résine de la maison.

– Qui a osé faire une chose pareille ! glapit sa voix réverbérée par le long corridor.

Déconcertée, Justine lâche la main de Chanel pour la plaquer sur sa bouche. Quelle bévue a-t-elle commise pour irriter Gabriella de la sorte ?

– Bon, allons voir ça de plus près, dit l'adolescente sans grand enthousiasme.

La voix courroucée de leur gardienne s'élève de plus belle, ponctuée d'exclamations furibondes. D'un même pas, le trio traverse le corridor, le hall d'entrée et la salle à manger. En pénétrant dans la cuisine, quelque chose craque sous leurs pieds, pareil à des croustilles que l'on écrase par mégarde.

Figés sur place, les trois pensionnaires constatent l'ampleur du dégât. Chanel fait quelques pas, les yeux agrandis par la stupeur. Justine en retrait est très affectée par la situation. Retenant un fou rire, Maxime a la nette impression que des chiens vagabonds se sont entendus pour souiller le sol de petits besoins naturels. En réalité, ce sont des vestiges de biscuit, *les biscuits* de Gabriella, broyés en mille morceaux et soigneusement étalés sur tout le carrelage de la cuisine.

– Il n'y a rien de comique ! fulmine cette dernière, les traits déformés par la fureur.

Son peignoir vert olive, cintré à la taille, lui donne l'air d'une quenouille desséchée. Elle effectue quelques pas maladroits, patine sur les miettes éparses, fait des moulinets et se rattrape de justesse sur le rebord du comptoir. Maxime pouffe de rire à nouveau, ce qui avive la colère de sa gardienne.

Elle se retourne prestement, les lèvres aussi minces qu'un fil de fer.

— Toi, mon garçon, tu n'es pas supposé être ailleurs ? fulmine-t-elle.

— On dirait bien que non, répond-il du tac au tac. Mais je peux remédier à la situation en allant tondre la pelou…

— La pelouse peut attendre ! coupe-t-elle sèchement. Avant de penser à te divertir, n'as-tu pas un travail à exécuter ?

La mine de Maxime s'allonge :

— Pas la corvée des fenêtres !

— Le travail forge l'homme, mon trésor, décrète-t-elle d'un ton soudainement aimable. Tu trouveras tout le nécessaire dans le cabanon.

— Mais ce n'est pas à moi à faire cette sale besogne ! Trouve-toi quelqu'un d'autre !

— Pardon ? Comment oses-tu ? L'insolence a des limites, mon enfant.

Maxime, révolté, le sang battant à ses tempes, fait la sourde oreille. Du coin de l'œil, il note que Chanel effectue des mouvements de la tête à son intention. Que cherche-t-elle à lui dire ? De se dominer ? Sans doute, mais il en est incapable. À la seule idée de devoir accomplir cette maudite corvée, il enrage ! Toutes les fibres de son être lui ordonnent de décamper ! De ne pas se soumettre ! A-t-il le choix ?

— M'en vais ! déclare-t-il, en amorçant un pas pour filer.

Exorbités de colère, les yeux de Gabriella sont braqués sur Maxime. Sidérée, Chanel lance un ultime regard à son compagnon. « Calme-toi ! » semble-t-elle lui conseiller. Pourquoi cette résistance passive ? Merde ! s'il pouvait lire ses pensées, il comprendrait ! Confus, il hésite. Un plan alors s'impose à son esprit. Il ne connaît pas ses chances de succès, mais il va tenter le tout pour le tout.

– J'ai du ménage à faire, marmonne-t-il en tournant résolument les talons.

Incrédule, Gabriella l'observe s'éloigner. Lorsqu'elle le voit entrer dans le cabanon, au fond du jardin, un horrible sourire se greffe sur son visage. Puis, elle pivote et décoche vers les jeunes filles un regard aussi cinglant qu'une volée de fléchettes.

– Qui, de vous deux, a fait cette bêtise ? Justine, tu y es pour quelque chose ?

***

CHANEL

Pourquoi nous accuse-t-elle de la sorte ? songe Chanel. À mes côtés, Justine secoue frénétiquement la tête en signe de dénégation, incapable d'articuler le moindre mot. Dans les faits, elle déteste les biscuits, sous toutes leurs formes. Ceux de Gabriella ne font pas exception. Une répulsion inavouée, mais qui n'est un secret pour personne. L'accuser de ce méfait, c'est excéder la mesure !

– Nous n'aurions jamais fait une chose pareille, dis-je, pour nous défendre. Justine n'y est pour rien, elle est seulement effrayée.

Les narines frémissantes, l'œil torve, Gabriella accuse le coup. Je soutiens son regard accusateur, tente de ne pas ciller, évitant de faire éclater au grand jour la peur qu'elle génère en moi. Justine, serrée tout contre mon flanc, me broie la main.

– Mes pauvres petits agneaux, je vous effraie donc à ce point, s'afflige-t-elle. Vous vous méprenez, tout simplement. Regardez autour de vous et dites-moi si je dois sauter de joie ? Non, mais, regardez-moi ce gâchis ! ajoute-t-elle en levant le ton. Plus de biscuits, c'est la catastrophe !

Je réfléchis à toute vitesse. Le message de Maxime, celui que lui a laissé cette étrange créature, me revient à l'esprit. Qui d'autre aurait pu commettre un acte aussi dénué de sens ? Je risque :

– Peut-être que… qu'une personne est venue farfouiller…

– Une personne ? ironise-t-elle, comme si cette supposition était de la pure fiction. Qui aurait pu venir jusqu'ici ? Mais non, voyons, c'est impossible !

Pourquoi est-elle si butée ? Il n'y a rien d'impossible à cela. À bien y songer, n'importe qui aurait pu s'introduire dans la maison. Mais pourquoi mettre à sac une réserve de biscuits ? Dans quel but ? Seul l'intrus le sait. J'insiste :

– Un voleur, sans doute. À voir l'état de la cuisine, il n'a pas trouvé ce qu'il cherchait.

– Du sabotage, voilà ce que c'est !

Le nez en l'air, Gabriella se contorsionne, épanchant sa mauvaise humeur contre les murs environnants. On dirait qu'elle devient barjo !

– Oh ! mais le coupable ne perd rien pour attendre, il le paiera cher, il le paiera de sa vie ! Espèce de sale vermine ! Comment oses-tu interrompre mes affaires ?

Mais de quoi parle-t-elle ? Quel genre d'affaires ? Interrompre quoi, au juste ? À la voir sortir de ses gonds, c'est sûrement une affaire en or ! À quoi rime tout ça ? Ces singeries ont assez duré ! Prenant mon courage à deux mains, je lui balance :

– Gabriella, ça suffit, on a compris !

Elle se ferme le clapet et respire à petits coups saccadés. Tremblante de rage, elle freine sa colère en ramassant son chignon. Elle l'ajuste, le rudoie, comme s'il était responsable du dégât.

– Je suis en mauvaise posture, dit-elle dans un murmure presque inaudible. J'ai besoin de faire un brin de toilette. En attendant, ajoute-t-elle en élevant la voix, soyez gentilles et commencez à nettoyer ce gâchis.

Là-dessus, elle resserre la ceinture de son peignoir et quitte les lieux *presto*, les miettes de biscuit crépitant sous ses pieds. Soulagée, je respire plus aisément. Justine, sous le coup de l'émotion, éclate en sanglots. Je m'agenouille avec empressement près d'elle.

– Ne t'inquiète pas, dis-je en lui massant le dos. On va tout ramasser, tout nettoyer, et après, on se fera un bon déjeuner.

Pour faire échec à la lassitude qui menace de nous clouer sur place, j'improvise une mimique bouffonne. Me levant d'un bond théâtral, je dérape jusqu'à la penderie, agrippe le ramasse-poussière et enfourche le balai. Après quoi, je glisse vers Justine dans un style sorcière-fofolle-prête-à-tout-astiquer. Mes pirouettes sont récompensées : Justine éclate de rire entre deux sanglots !

Trente-deux minutes plus tard, le plancher brille comme un sou neuf. En m'asseyant à la table, je dépose un monticule de rôties à tartiner (trop) roussies. Maxime s'en régalera, j'en suis certaine. Enfin, presque. Tandis que je choisis la tranche de pain la moins calcinée, Justine essaie de m'expliquer quelque chose.

– J'ai pas, commence-t-elle en étalant de la confiture sur son pain, fait... exprès...

Stupéfaite, rôtie en suspens au-dessus de mon assiette, je réplique :

– Comment ? C'est toi qui as fait ça !

– Noooonnn !

– Est-ce que tu sais ce qui s'est passé ? lui dis-je gentiment, en plongeant mon regard dans le sien. Tu peux me faire confiance, j'irai pas bavasser à Gabriella. Croix de bois, croix de fer, si je mens je vais en enfer.

Justine hoche la tête, son joli minois s'ouvrant à la confidence. Mesurant mes paroles, je lui demande :

— Alors, dis-moi, tu as vu la personne qui s'est amusée à éparpiller ces morceaux de biscuit partout ?

— Bien, c'est que…, fait-elle en mâchouillant une bouchée de pain grillé. C'est pas vraiment une personne.

Que je suis bête ! La créature, bien sûr ! Cependant, l'être qui s'est métamorphosé devant moi était loin d'arborer un air rassurant. Mais plutôt un faciès patibulaire, taillé à la hache. Pas sympathique du tout.

— À quoi ressemblait notre coupable ? Il t'a pas trop effrayée, j'espère.

— Oh non ! pas du tout ! me répond Justine le regard scintillant. Ravioli veut nous venir en aide.

Déroutée par cette réponse inattendue, je fais observer :

— Drôle de prénom, Ravioli ? Qui est-ce ?

— Un rat, me murmure-t-elle à l'oreille.

Je réprime une moue de dédain. Sincèrement, ce n'est pas mon animal favori. Fait curieux, tôt ce matin, Maxime a glissé un mot à propos d'un rat. Sceptique, je cogite sur l'ampleur du dégât. Les morceaux de biscuit étaient dispersés sur toute la superficie du plancher de la cuisine. Je connais les prouesses des rats et leur comportement aussi nuisible qu'ingénieux. Par contre, je n'ai jamais entendu parler d'un rat qui projetait ses miettes de nourriture de cette manière. À moins d'avoir un complice, bien sûr. Comme les petites mains d'une fillette de sept ans, par exemple.

Je décerne un sourire indulgent à Justine.

— À semer la pagaille, comme ça, dans la maison, tu vas t'attirer de gros ennuis.

— Ça sera mille fois pire si on continue à bouffer ces biscuits !

Surprise par la fougue de sa riposte, je lui demande :

— Dis donc, qu'est-ce qu'ils ont de *si* terrible ces biscuits ? À part le fait que tu les détestes.

— Ils brouillent notre vue !

Alors là, je perds mon sourire.

— Qu'est-ce que tu veux dire ?

Réticente, elle jette un coup d'œil à droite et à gauche, puis ajoute d'un air de confidence :

— Eh bien ! en mangeant ces biscuits, Gabriella nous force à voir un autre monde, un monde qui n'existe pas vraiment ! En vous privant de biscuit, toi et Maxime, je voulais vous montrer l'autre maison. Tu sais, celle que je distingue nettement la nuit.

Ma bouche s'ouvre, sans voix. J'ai l'impression de recevoir une douche glacée. Le rituel des biscuits avant d'aller au lit n'a qu'un seul but : saboter notre réalité ! Ma parole, c'est complètement dingue ! D'un autre côté, je suis forcée d'admettre que cet argument (percutant, mais discutable) crée un lien parfait avec ses terreurs nocturnes.

— Comment peux-tu détenir une telle information ?

— Eh bien ! c'est Ravioli qui me l'a expliqué ! murmure-t-elle, le regard perdu.

Un rat lui a parlé. Que dois-je répondre à ça ? Que les rats n'ont pas de cordes vocales ? Que c'est impossible ? Ridicule ? La petite me paraît toute remuée. À mon humble avis, elle est complètement dépassée par les événements. Maxime a raison, il nous faut quitter cet endroit avant que l'un de nous ne devienne maboul.

— Chanel, est-ce que tu entends ce bruit ? me fait remarquer soudain Justine.

Un bruit de moteur s'élève de la cour. Mes pensées dévient tandis que mon cœur s'accélère. Un bruit très familier : celui du tracteur à jardin. À travers la vitre de la baie, je cherche le véhicule des yeux. C'est bien Maxime !

— Qu'est-ce qu'il fabrique ? demande Justine, déjà debout à se coller le nez contre la fenêtre. Il cherche les ennuis ?

Et comment ! Braver l'interdiction de tondre la pelouse. Quelle audace ! C'est ma faute ! J'aurais dû lui raconter le mensonge éhonté de Gabriella : la noyade de Mathieu. Mais, surtout, le mettre en garde contre le comportement imprévisible de cette mégère. Si l'on demeure bien tranquilles, on ne risque rien. Dans le cas contraire, eh bien ! je n'ose l'imaginer ! Je croyais, tout à l'heure, que Maxime avait réussi à déchiffrer mes simagrées !

— Oh oh ! voilà Gabriella ! s'exclame Justine. Elle n'a pas l'air contente du tout ! Mais là, pas du tout !

Je me lève et m'approche de la fenêtre afin de mieux distinguer la scène. Assis sur son engin, Maxime disparaît derrière la haie de rosiers qui borde l'allée gravillonnée, Gabriella à ses trousses.

Pourquoi Maxime emprunte-t-il l'allée ? Qu'est-ce qu'il a en tête ?

Tout à coup, le paysage environnant s'assombrit et s'éclaire, en alternance. Ce changement brutal de luminosité se répète à un rythme effréné. À croire qu'une suite de nuages gris acier, bousculée à une vitesse fulgurante, bloque momentanément les rayons du soleil. Disperse sur la cour un éclairage saccadé, semant dans mon cœur une appréhension que je maîtrise à peine. Car, j'ai beau lever les yeux au ciel, il n'y a aucune trace de nuages.

— Qu'est-ce que c'était ? s'alarme Justine.

— Un orage qui s'annonce, dis-je d'une voix qui sonne comme celle d'un automate.

Inutile d'inquiéter la petite plus qu'il ne faut. Mais, en moi, c'est le branle-bas : il y a une déchirure.

Maxime, où es-tu ? Je te sens si loin…

Terre isolée

L E TRACTEUR à jardin est pour Maxime son billet de retour. Son unique moyen de fuir cette maison de fous. Sa priorité : aller chercher de l'aide ! Peut-être pourra-t-il ainsi atteindre la route asphaltée et filer chez le voisin le plus proche. Ou, ce qui serait extra : croiser une voiture de police. N'importe quoi ! Pour peu qu'on lui tende une main secourable...

N'empêche, il a le sentiment de trahir ses camarades. Il connaît à présent la force de caractère de Chanel, il sait qu'elle protégera Justine, quoi qu'il arrive.

Le doute l'a quand même retenu plusieurs minutes, là-bas, dans le cabanon. Ses pensées s'entrechoquaient dans sa tête pendant qu'il faisait le plein d'essence. Et s'il se trompait ? Après tout, nettoyer des vitres, c'est pas la mer à boire.

Pourtant, l'insupportable sentiment d'être manipulé le hante sans cesse ! Sont-ils, lui et ses amies, outrageusement bernés ? Une certitude, enracinée au tréfonds de son être, monte alors en lui avec une telle force, qu'il ne peut l'ignorer. N'est-ce pas un peu cinglé ? Et s'il s'imaginait des choses, sa peur biaisant son discernement? La folie ne pousse-t-elle pas les gens à poser des gestes regrettables? Il a peut-être perdu sa liberté, une partie des souvenirs qui le ratta-chent à ses parents, mais il n'est pas fou! Soudain, il est extirpé de sa litanie intérieure.

Brutalement.

Son pied écrase la pédale de frein, il se crispe sur le volant comme si un précipice s'ouvrait devant lui. Maxime coupe le moteur et descend de l'engin. Estomaqué, il fixe le paysage qui s'étend au-delà de l'allée gravillonnée. Point d'aide il n'obtiendra, nulle rue pavée il ne parcourra, ni croisement, ni bifurcation, ni personne.

Seuls des flots profonds, noir goudron, ondulent à perte de vue. Impénétrables.

La berge qui marque la fin de l'allée est léchée par des vagues visqueuses, charriant une odeur pestilentielle.

– C'est impossible…, suffoque-t-il.

Le ciel s'assombrit soudain, faisant écho à sa grisaille intérieure. Après quoi, une vive lumière l'aveugle. En moins de trente secondes, obscu-rité et clarté se succèdent avec célérité. On dirait qu'un orage se prépare. Étrange, car le ciel reste sans nuages.

– Alors, mon petit bonhomme, on s'en va faire une balade? susurre une voix familière derrière lui.

Maxime fait volte-face. Vêtue d'une robe élimée de couleur gris sale, Gabriella le considère d'un air malin, tel un fauve coinçant sa proie dans un recoin.

– Qu'est-ce que c'est que cette mons-truosité ? explose-t-il, hors de lui. Je n'ai jamais vu une… une chose aussi répugnante ! Où sommes-nous ?

– Ce n'est pas ma plus belle création, je l'admets, répond-elle d'une voix doucereuse. À vrai dire, je n'aime pas beaucoup venir par ici. Je préfère de loin la proximité de la maison. Là où mes petits anges vivent bien sagement.

Dans un silence funèbre, elle s'avance vers lui. Un éclat métallique dans le regard. Ses longs doigts squelettiques s'agitent exagéré-ment, comme si elle préparait un coup tordu. Maxime se raidit et recule d'un pas. Les paroles de Chanel, qu'il avait prises à la légère, réson-nent alors dans sa tête : *Il faut se méfier d'elle ! Se méfier… se méfier…*

– Cher Maxime, depuis le malheureux départ de Mathieu, tu es le plus coriace de tous mes chers petits, enchaîne-t-elle, la mine fausse-ment attristée. Que vais-je donc faire de toi ? C'est la deuxième fois que tu tentes de fuguer. Je n'aime pas beaucoup les enfants désobéissants. N'as-tu pas davantage de respect pour ta mère ?

Il a l'horrible sensation que ces paroles pénètrent dans sa chair. Lui écorchent le cœur. Son estomac se révulse. Fuguer ? S'il était chez sa *vraie* mère, il n'en serait pas là ! Recouvrer sa liberté serait plus exact. Une deuxième fugue ? Elle exagère, la mégère, comme toujours !

« Cette bonne femme déraille ! » se dit-il, inquiet.

– Moi, tout ce que je souhaite, c'est retourner chez mes parents, laisse-t-il tomber.

Le visage de Gabriella se métamorphose à la vitesse de l'éclair, passant de la déception à un air hautement contrarié.

– Eh bien ! il m'en coûte d'agir ainsi, mais une visite en Terre Isolée te fera un bien considérable ! Les voyages solitaires façonnent le caractère et domptent le plus hardi des rebelles.

N'y comprenant rien, Maxime voit Gabriella plonger ses longs doigts rachitiques à l'intérieur de son corsage. Elle en sort un cristal, comme tarabiscoté entre les serres d'un corbeau, au centre duquel palpite une veine écarlate. Suspendu à une longue chaîne, le pendentif, que Gabriella brandit innocemment devant les yeux du garçon, rougeoie. Ce dernier voudrait décamper, mais ses jambes ne lui obéissent plus. Que lui arrive-t-il ? Avec une pointe d'effroi, il se rend compte qu'il est hypnotisé par le pendule qui oscille devant ses yeux. Ses réactions sont entièrement tétanisées. Son cœur se serre. Sa raison défaille. Une angoisse lui vrille les entrailles.

« Que manigance-t-elle ? Que compte-t-elle faire de toi ? Max, fous le camp ! »

Sans prévenir, tout devient flou à la périphérie des choses, comme si sa vision s'embrouillait. Le tracteur, la mer de goudron, la haie bordant l'allée gravillonnée, tout pâlit à vue d'œil. Implacablement, le paysage perd de sa consistance et s'estompe peu à peu. La dernière chose perceptible, c'est Gabriella. Un ravissement abject se lit sur son visage.

Ensuite, un trou immense. Pendant un bref instant, il se croit aveugle ; un épais brouillard enveloppant tout. Puis, cette brume cède graduellement la place à une lande escarpée. Giflé par un vent glacial, Maxime effectue quelques pas titubants. N'étant plus paralysé, il en profite pour courir à toutes jambes. Il brave les rafales traîtresses et garde son sang-froid malgré sa peur. Il doit aller chercher du secours. Mais en moins de quinze foulées, il a atteint la frontière des lieux.

Où est-il, exactement ?

Tous ses points de repère ont disparu. Jetant des coups d'œil affolés, il comprend avec horreur le sens des paroles prononcées par la mégère : *un voyage en Terre Isolée… dompte le plus hardi des rebelles.*

Il a été projeté sur une falaise rocheuse, encerclée d'un torrent tumultueux et tapageur, où aucune fuite n'est envisageable.

Son esprit hurle d'incrédulité ! Tombant à genoux, il se met à pleurer. Son cœur est si douloureux qu'il souhaiterait se l'arracher et le balancer en bas de la falaise. De sa vie, jamais il ne s'est senti aussi seul.

Abandonné. Banni.

Le temps s'écoule, en minutes ou en heures ? Il n'en sait rien, trop désemparé pour s'en soucier. Puis, dans un accès de lucidité, il lève un regard mouillé sur la lande désertique. Il distingue, çà et là, des touffes d'herbe vert tendre et souples à souhait. Elles croissent vaillamment et défient l'aridité de cette terre inhospitalière.

Ragaillardi par cette flore sauvage, il se passe une main sur le visage, cherchant à comprendre. Comment a-t-il été propulsé ici ? Est-ce de la magie ? Sornettes que cela ! D'un autre côté, l'évidence lui crève les yeux ! C'est sûrement de la sorcellerie ! Aucun doute possible. Or, que peut-on faire pour contrer un acte de magie noire ?

Maxime ne sait pas…

« Gabriella ! Quelle affreuse bonne femme ! pense-t-il, amer. Que vais-je devenir ? »

Une boule de rage gonfle alors dans sa poitrine. Elle irradie une force nouvelle, impétueuse. En se relevant, il s'accroche à cette violence qui se déchaîne en lui et peste contre la cruauté de cette gardienne. Une envie folle de hurler le démange :

– SORTEZ-MOI DE LÀ ! J'EN AI ASSEZ !

Malgré la rudesse du vent, un chuintement lui parvient. Un chatouillis de voix, qui ressemble davantage à un souffle, semble répondre à son appel.

Une voix amicale

LA SONORITÉ vocale s'amplifie, se précise et devient d'une netteté étonnante. L'a-t-il imaginée ? On dirait que la voix s'élève à l'intérieur de sa tête. Toujours seul sur cette lande coiffant la falaise, personne n'est là pour le tirer de ce mauvais pas. Il songe à Chanel. N'a-t-elle pas mentionné qu'elle possédait un pouvoir télépathique ? Serait-ce son amie qui tente de lui venir en aide ? Fermant les yeux, Maxime concentre son attention, là où un bruissement de paroles l'invite à écouter.

– Je te salue, jeune humain, émet une voix féminine dans son esprit.

Il est surpris et désappointé à la fois : ce n'est pas son amie. Le ton est amical. Cependant, il n'est pas enclin à faire confiance si aisément à quelqu'un, surtout qu'il ne voit aucune silhouette, aucun visage. Sur la défensive, Maxime demande :

– Que me voulez-vous ?

– Je ressens la colère et la détresse qui te tourmentent, jeune humain. De ce fait, je comprends que tu sois méfiant et que tu ne veuilles pas ouvrir ton cœur. N'aie crainte, je ne te veux point de mal.

Cet être lit en lui de façon déconcertante : impossible de se dérober. Et puis, il est bien forcé d'admettre que la chaleur de cette voix, empreinte de compassion, met un baume sur son cœur esseulé. « Qui est cette inconnue ? » s'interroge Maxime, troublé par cette forme de communication insoupçonnée.

La réponse lui parvient aussitôt :

– Je me nomme Hina. Si je le peux, je t'aiderai à déployer tes ailes. Mais, pour y parvenir, tu devras jouer le grand jeu afin de déjouer la machination de l'ensorceleuse. Te sens-tu d'attaque ?

– L'ensorceleuse… vous voulez dire Gabriella ? s'enquiert Maxime.

– Cette créature a divers noms, différentes formes, mais dans la situation qui te concerne, en effet, c'est bien elle. Celle-là même qui vous tient captifs, toi et tes amies, et qui a volé impunément les mémoires reliées à vos parents, muselant ainsi votre volonté de partir. Rares sont ceux qui ont réussi à s'affranchir de sa tutelle maléfique. Moi-même, j'ai été contrainte de me dérober à sa vue, conclut-elle d'une voix attristée.

Maxime glisse une main dans ses cheveux, abasourdi par ce discours. Lui qui croyait qu'un simple coup de fil suffirait à le sortir de là. Gabriella : une ensorceleuse ? Elle n'est rien d'autre qu'une misérable sorcière ! Ce qu'il s'est fait berner, rouler dans la farine, et ce, sur toute la ligne ! Son exil, destiné à le *dompter*, ne fait que raffermir sa résolution : s'évader !

– Pardonnez mon incrédulité, mais quel genre de comédie pourra duper Gabriella ? D'humeur massacrante et adepte de la magie noire, elle ne se laissera pas tromper si facilement. Autrement dit, je suis cuit avant d'avoir joué mon premier acte.

– Si tu lui tiens tête, ton âme est perdue d'avance. En revanche, si tu fais preuve de ruse, ne la contrariant sur aucun point, jouant le jeu de celui qui l'aime, tu gagneras ta liberté.

– Faire semblant de… de l'aimer ? bredouille Maxime, horrifié. Jamais de la vie ! Je… je… non vraiment, c'est trop me demander ! Je préfère embrasser un crapaud bourré de verrues ! Y a pas une sortie de secours un peu moins compliquée ?

– Faire semblant n'est pas une fin en soi, fait valoir Hina avec un sourire dans la voix. Sache, jeune humain, que ce jeu n'est pas sans risque, il est même périlleux. Il ne faut pas le jouer avec insouciance. Car si tu échoues, tu risques de perdre à jamais le souvenir de ta vie d'autrefois. Bien menée cependant, cette stratégie fera fondre les soupçons de l'ensorceleuse et relâchera son Verrou mental. Ainsi, il te sera plus aisé de circuler et de mettre ton plan d'action à exécution.

– Un Verrou mental ? Qu'est-ce que c'est que ça ?

– C'est un pouvoir limité, mais d'une efficacité diabolique. D'une part, si elle soupçonne votre intention de filer en douce, elle dresse des barrières imaginaires, verrouillant son monde de telle sorte qu'il vous est impossible de vous échapper. Par ailleurs, dès qu'elle a des doutes sur votre amour, elle manipule l'environnement à sa guise afin de vous effrayer, semant ainsi le désordre dans vos pensées.

Maxime frissonne. En images, il revoit la mer de goudron nauséabonde, les éclairs annonciateurs d'orage et que dire de la forêt, sinon que la cime des arbres frémissait de… rage ? De quoi lui couper l'envie de se balader pour de bon !

— C'est exactement ce que Gabriella recherche, enchaîne l'être invisible, lisant dans ses pensées. Miner la confiance qui est en chacun de vous mais, par-dessus tout, vous dissuader de vous promener librement, d'explorer à votre guise. Car il existe bel et bien un passage permettant d'atteindre ton monde, *une sortie de secours*, comme tu le dis si bien.

Maxime se sent tout à coup fébrile.

— C'est vrai ! Il y a une sortie ! À quel endroit ?

Mais avant qu'il puisse saisir la réponse, un vent violent se lève. Déjà, il sent la magie opérer autour de lui. Autant il souhaitait abandonner ce lieu, autant il voudrait retarder son départ.

— Hina, est-ce que vous m'entendez ? Je crois que mon isolement tire à sa fin. Donnez-moi un indice, vite !

— Prends note… lorsqu'elle dort… pouvoir est amoindri…

La lande s'évanouit peu à peu. Des lambeaux de brouillard s'entortillent autour des touffes d'herbe. La voix dans sa tête faiblit, il tente désespérément de rester en contact.

– Où dois-je entreprendre les recherches ? Par où commencer ?

Silence.

– Dites-moi quelque chose, n'importe quoi ! Hina ?

– Passage... gravé... antre des connaissances...

Puis, d'un coup sec, le contact est rompu. Une métaphore comme indice ? Maxime n'a pas le temps d'éclaircir la question. Il se sent étrangement transbahuté d'un lieu à un autre.

Le paysage de la lande disparaît de sa vue, se désarticule en un foisonnement de branches cornues, capuchonnées de feuilles en dents de scie. Un mince croissant de lune jette une chiche lueur bleutée sur ces formes fantomatiques. La nuit est déjà tombée ! Ou est-ce une supercherie de l'ensorceleuse ?

Largué dans ce nouveau décor, il tente de s'orienter. Un ricanement alors se fait entendre, à croire que des diablotins, dissimulés dans la nuit, se moquent de sa confusion.

« Max, serre les dents, pas question de flancher ! »

Accroupi, il frôle la pelouse humide et reconnaît la rugosité du sentier. Il est revenu. Revenu dans ce monde peu invitant et qui lui inspire maintenant une profonde aversion. En se relevant, il scrute les ténèbres ; un frisson glacé lui parcourt le dos. La voûte céleste, parsemée d'étoiles, luit comme autant de petits yeux remplis de malveillance.

Soudain, sans qu'il puisse réagir, une poigne d'acier agrippe son épaule. Déséquilibré, il trébuche contre un obstacle et s'étale de tout son long. Qui va là ? Masquant tout, la nuit se garde bien de lui révéler l'identité de l'inconnu.

Son assaillant saute sur lui derechef, marmonnant des mots incompréhensibles. Affolé, Maxime se débat. Soudain, sous un pâle rayon de lune, deux mains blafardes surgissent dans la nuit. On dirait deux taches spectrales, dépourvues de corps, aussi pâles et froides que la mort. Se sentant blêmir lui-même, Maxime redouble d'ardeur comme si sa vie en dépendait.

Prudence

Arrête de me frapper ! Aïe ! Maxime, CALME-TOI ! C'est moi !

Maxime se fige net, cligne des paupières, un faisceau lumineux braqué sans ménagement sur son visage. Les battements de son cœur cognent tant et si bien dans ses oreilles, qu'il en est à moitié sourd.

— Quoi... qui ? Hina, c'est toi ? bafouille-t-il en se massant le front.

— Ne me dis pas que tu as oublié mon nom ! s'inquiète son interlocutrice. C'est moi, Chanel ! Tu te souviens ?

— Chanel ? Heu... mais oui, confirme-t-il avec un sourire fugitif. Je suis un peu sonné, c'est tout.

— Ça me rassure. Sans nouvelles depuis ce matin, j'ai cru ne jamais te revoir ! Maxime... tu as une mine affreuse... Est-ce que ça va ?

— Pas du tout, non ! Je suis fourbu, j'ai un mal de tête carabiné et mon estomac crie famine ! Mais, depuis que tu es là, ça va beaucoup mieux. Dis, ça t'ennuierait d'éblouir autre chose que ma figure ? J'y vois rien.

— Oh ! Désolée ! fait-elle en abaissant sa lampe de poche, éclairant du coup le tracteur contre lequel l'adolescent a buté.

Naguère encore, chevaucher ce véhicule gonflait le jeune garçon de satisfaction, exalté à l'idée de ne pas avoir Gabriella sur le dos. Maintenant, sa vue le remplit d'horreur, lui rappelle l'identité réelle de sa gardienne. Le pire reste à venir : la revoir et prétendre, mine de rien, que son exil l'a discipliné. L'enfer !

— Je me suis fait un souci monstre à ton sujet, reprend Chanel d'un ton précipité. Gabriella était d'un calme qui me rendait folle ! Elle m'envoie te chercher ; de toute évidence elle te savait de retour. En libérant mon esprit vers toi, j'avais la certitude que tu étais en vie, mais je te sentais si loin... à l'autre bout du monde...

Ses yeux pers reflètent l'inquiétude que l'absence prolongée de Maxime a distillée en elle. Ému, ce dernier se rend compte que leur amitié se tisse de liens solides.

— Tu as raison, Chanel, il faut se méfier de Gabriella. Elle est loin d'être la gardienne avertie qu'elle prétend. En réalité, c'est une... sorcière.

— Quoi ? Tu ne parles pas sérieusement, j'espère ?

— Est-ce que j'ai l'air de blaguer ? Je suis très sérieux.

La jeune fille lui adresse un regard où l'incrédulité le dispute à l'appréhension.

– Maxime, est-ce que tu me parles d'une *vraie* sorcière ? C'est-à-dire une personne détenant un quelconque pouvoir ?

Il hoche la tête :

– Pour ce que j'en sais, oui. Une jolie arnaqueuse ! Mais en terme scientifique on appelle ça une *ensorceleuse*. Un euphémisme, crois-moi !

– Bonté divine, c'est bien pire que je pensais ! De quelle manière en es-tu venu à démasquer son imposture ? Inutile de m'épargner, je veux tout savoir.

Maxime se recueille un instant avant de répondre. Comment annoncer que leur avenir n'a rien de certain et que leur passé risque de se dissoudre à jamais ? Pourront-ils réussir à apaiser la révolte qui ravage leur cœur, tout en gardant secret l'espoir d'une fuite possible ? Comment ne pas crier à l'injustice ? Il soupire, tout ceci lui semble bien au-dessus de ses compétences.

Puis, d'une voix nouée par la rancœur, il lui dévoile l'incroyable pouvoir que recèle le pendule qui l'a arraché à ce monde pour le parachuter sur cette Terre Isolée.

– Mon exil avait pour but de *briser* mon sale caractère ! crache le garçon.

– Séquestré toute la journée ? Sur une falaise désertique ? Mais c'est immoral ! se récrie Chanel, moitié affolée, moitié révoltée.

– À qui le dis-tu ! Par chance, là-bas, j'ai eu une conversation télé…

Un craquement sinistre vient assourdir la fin de sa phrase et les fait sursauter. Crispée, Chanel promène le mince faisceau de sa torche dans la nuit noire. Le croissant de lune, brillant comme l'œil mi-clos d'un cyclope hargneux, convertit le paysage en une sombre tapisserie de silhouettes distordues. On devine des présences, des mouvements dans les ombres.

— Je déteste cet endroit ! marmonne-t-elle, tendue.

— Et moi donc ! avoue le garçon. J'ai la désagréable impression qu'on nous épie !

— Cette maison d'hébergement n'a rien de rassurant, c'est un véritable danger public. Il nous faut improviser une fugue dès ce soir !

Nouveau craquement. On dirait que les arbres, à l'orée de la forêt, se disloquent, que leurs racines s'arrachent du sol. Maxime songe au pouvoir diabolique de l'ensorceleuse, le Verrou mental. Il comprend le processus maintenant : chaque fois que leur émotion grimpe, s'agite, ou se révolte, l'environnement se modifie pour les enserrer dans un étau de terreur. Que faire ? Une seule pensée domine son esprit : la prudence. Impossible de se livrer entièrement à Chanel sans risquer de provoquer le courroux de Gabriella. Il est donc contraint de ménager ses paroles.

Circonspect, il chuchote :

— Ça ne sera pas si simple, tu sais. Nous devrons d'abord trouver le passage, se faire discret, ne pas éveiller les soupçons.

— Mais qu'est-ce que tu as ? On ne va quand même pas rester là, à se croiser les bras, et attendre qu'un bon samaritain nous tende la perche. Je sais, au début j'ai adopté l'adage : *sois sage et tais-toi* ; mais là, ça ne tient plus la route. Il faut agir ! Pourquoi es-tu si précautionneux ?

— Il m'est impossible de tout t'expliquer, murmure-t-il, prudent. Tu sais à quel point Gabriella est douée pour tout voir et tout entendre. Je dirais même qu'en ce moment, elle peut lire les intentions qui nous habitent. Alors, faisons gaffe.

Chanel acquiesce gravement. D'un geste ferme, elle aide son compagnon à se remettre sur pied. Sans mot dire, ils entament le chemin du retour sous le pâle croissant de lune. Le silence de la jeune fille est éloquent. La nuit, impénétrable, ne permet pas à Maxime de distinguer les traits de son amie. Toutefois, il a conscience qu'une foule de questions se pressent dans sa tête et diffusent en elle un flot d'inquiétude.

Accueil glacial

UN FUMET délectable chatouille leurs narines dès qu'ils mettent les pieds dans le vaste hall d'entrée. Le silence est maître des lieux. Le clair-obscur oscille, orchestré par une poignée de chandelles aux flammes vacillantes.

La tromperie, elle, est omniprésente.

Maxime perçoit un bruissement à sa gauche. Son rythme cardiaque s'emballe. Une silhouette, éclaboussée de lueurs tremblotantes, se dessine dans l'arche qui dessert la salle à manger. Gabriella. Sa présence est aussi mal venue qu'une araignée dans une baignoire. Sa robe usée par le temps, un ramassis de taffetas rapiécé, rehausse son air de mère supérieure. Derrière elle, à petits pas timides, apparaît Justine. À sa vue, le cœur du garçon s'allège. Les yeux de la fillette expriment la joie de le revoir. Ravie, elle lui lance :

– Maxime ! Tu es revenu…

Gabriella a tôt fait de l'interrompre, déposant une main autoritaire sur sa bouche, lui intimant le silence.

– Avant toute chose, laissons à Maxime l'occasion de montrer sa vraie valeur, annonce-t-elle en guise de bienvenue. Nous ne désirons pas d'un enfant indiscipliné, turbulent, sans égard envers sa mère. N'est-ce pas, Maxime?

Des mots. Glacials et avides d'asservissement. L'adolescent en a le tournis.

– Alors, mon trésor, comment a été ton voyage?

Justine retient sa respiration. Chanel devient rouge d'indignation.

Maxime serre les mâchoires, matant sa colère, tandis que ses pensées se tournent vers les recommandations de Hina. *Faire semblant de l'aimer! Ne pas la contrarier!* Pourra-t-il improviser pareille feinte?

– Profitable, s'entend-il commenter, morose.

– Vraiment? souffle Gabriella. Dis-le-moi droit dans les yeux et avec ton plus beau sourire, mon ange.

Le cœur battant la chamade, il force tous les muscles de son visage à sourire et soutient un instant ce regard. Le regard perfide de l'ensorceleuse. Puis, dans un titanesque effort de volonté, il articule:

– Ce voyage m'a été salutaire. À l'avenir, je… je serai sage.

Chanel affiche une mine renversée.

– À la bonne heure! jubile l'ensorceleuse, les pupilles luisantes de complaisance. Tout est revenu à la normale. C'est merveilleux! Venez voir, mes enfants chéris, la surprise que je vous ai réservée.

Elle tourne les talons et s'évanouit dans l'obscurité. Une aura intimidante frigorifie son départ. Les trois jeunes lui emboîtent le pas avec la lenteur de ceux qui redoutent l'irruption d'un ennemi embusqué dans un coin.

En pénétrant dans la salle à manger, ils peuvent à peine en croire leurs yeux. De minuscules lampions, nichés discrètement, font ressortir le mobilier en une énorme tache de nuit remuant sur les murs. Serpentins, ballons gonflés, paillettes miroitantes et gerbe de fleurs ornent la table. L'exubérance en personne. L'argenterie, dressée pour trois convives, brille de mille éclats. Une ambiance de fête règne, mais aucun des pensionnaires n'a le cœur à la réjouissance.

– Prenez place, mes trésors ! les invite Gabriella avant de s'éclipser dans la cuisine.

Ils s'exécutent sans échanger la moindre syllabe, mais leurs regards, ancrés l'un dans l'autre, sont chargés de méfiance. Une appréhension dont aucun d'eux n'arrive à se départir.

– Vous en faites une tête d'enterrement ! se désole Gabriella en surgissant dans la clarté anémique des chandelles. Elle transporte trois assiettes fumantes sur un plateau.

À tour de rôle, d'un élan presque cérémoniel, les enfants sont servis. Elle leur a concocté un délice culinaire digne des grands chefs. Disposés en couronne, des médaillons de poulet sont nappés d'une sauce crémeuse, agrémentés de purée de pommes de terre et de carottes. Les enfants ont d'excellentes raisons d'être étonnés, car depuis qu'ils sont hébergés chez Gabriella, jamais ils n'ont eu droit à un repas gastro-nomique.

C'est même trop louche pour y mordre à belles dents !

– Qu'est-ce que vous avez tous ? interroge-t-elle en plantant ses poings sur sa taille de guêpe, agacée. Moi qui pensais vous faire plaisir.

Le silence reste maître des lieux.

– Que célébrons-nous, au juste ? finit par demander Chanel, s'efforçant de conserver son calme.

– Nous célébrons nos retrouvailles, ma belle ! Le bonheur d'être à nouveau une famille. Elle me manquait tellement ! Voyez l'amour que j'ai déployé autour de vous, n'êtes-vous pas heureux ?

– L'amour ne s'achète pas avec des bouts de chandelle et des paillettes d'argent ! explose Chanel, le regard brûlant d'un chagrin retenu. L'amour se manifeste avec de la tendresse et de la gentillesse ! Mais pour y parvenir la bonté du cœur est essentielle !

L'espace d'un instant, les yeux de Gabriella brillent comme des charbons ardents, tandis que les flammes, sous la brise d'un vent imma-tériel, se contorsionnent tels des asticots incandescents. Elles projettent sur les murs des ombres incertaines. En les examinant, Maxime avale sa salive de travers. Il y voit une grossière ébauche de créatures efflanquées qui se désar-ticulent. Menaçantes.

– Nous te sommes très reconnaissants, intervient-il, détournant les yeux de cette scène troublante. Je crois que la faim nous tenaille trop pour constater les bienfaits de ton amour. Quand on a une faim de loup on n'a d'yeux que pour son assiette, tout le monde sait ça.

Un chapelet de mots prononcés avec aisance et avec une assurance qu'il aurait souhaitée moins crédible. Il n'est pas dupe ; s'il continue de feindre, ses amies vont penser qu'il est fou à lier !

Comme il lui tarde de tout leur révéler !

– Très bien, répond froidement Gabriella, baladant ses mains osseuses sur le tissu fripé de sa robe. Nous réglerons cette petite mésentente demain. Et maintenant, mangez. Pas de gaspillage ! Ne me faites pas regretter tout le mal que je me suis donné pour vous !

Sur ce, elle déserte la pièce au quart de tour. Aussitôt l'atmosphère se détend. Le papillotage provoqué par la folie des flammes s'estompe, le clair-obscur reprend ses droits. Dans la lumière tamisée, Maxime remarque le regard énigmatique que portent les filles sur leur assiette. Est-ce de la méfiance ? De la surprise ? Ou bien un mélange des deux ? Il faut dire que, habituellement, à cette heure tardive, on ne leur distribue qu'une maigre ration des éternels biscuits. Médiocre, certes, mais étrangement réconfortante. Ce changement, insignifiant en soi, n'est-il pas curieux ?

Devrait-il se méfier lui aussi ?

Le songe

LA FRINGALE l'emportant sur la méfiance, Maxime entame son repas. Il désire recouvrer ses forces le plus tôt possible. Dans sa tête, des engrenages s'activent : comment organiser l'évasion parfaite ?

Après quelques bouchées, toutefois, le roulement de ses pensées décélère, s'atténue, pour enfin tomber en panne. La fatigue le rattrape. Cette journée, reléguée au loin, commence à peser sur ses paupières.

« Dormir… roupiller… heu… manger… » Ses idées ne sont plus cohérentes. Sur son bras, il sent soudain une pression. Une tache, blanche et délicate, l'empêche de porter sa fourchette à sa bouche. « Elle ne voit donc pas que je suis affamé ! » Insistante, la tache secoue violemment son bras, faisant culbuter sa fourchette et son délicieux contenu dans son assiette. Un vrai pot de colle cette tache !

Une tache ? Minute, il y a erreur !

Avec un effort suprême, se débattant contre le sommeil, il se penche sur la tache qui s'avère posséder cinq doigts. Tiens donc : une main ! « Qu'y a-t-il ? » demande Maxime d'une voix pâteuse. Son bras est devenu aussi mou qu'une lavette. Sa langue aussi. Péniblement, il lève un regard vers la propriétaire de cette main enqui-quineuse. Chanel. Elle prononce des paroles inintelligibles.

Une lourdeur de granit s'enlise dans chacun de ses muscles. Il se sent curieusement léthar-gique. Ce n'est pas le temps de dormir ! « Lutte, mon vieux, car on cherche à t'avertir de quelque chose. De quoi ? Qu'il ne faut pas manger ? » Complètement déboussolé, il ne saisit rien. Malgré sa vue embrouillée, il distingue le visage de Justine penchée sur la table, animé dans une grande discussion. À qui parle-t-elle ? À son assiette ? À sa purée de carottes ? Voyons, des légumes ça ne parle pas ! À son poulet, alors ? Non, non, et non ! Elle converse avec un rat zébré ! Cette fois-ci, aucun doute possible, sa vue lui joue des tours.

« Tu nages en plein délire, Max ! »

Une terrible pensée lui torpille alors l'esprit. Et si on l'avait empoisonné ? Drogué ? Intoxi-qué son esprit de façon à éradiquer ses souve-nirs ? Pour toujours !

« Aïe, aïe, aïe ! AU SECOURS ! » se désespère-t-il dans son crâne.

Personne ne l'entend. Son corps, brisé de fatigue, sombre dans un profond sommeil.

– *Suivant, je vous pris ! aboie une voix pressante.*

Maxime ouvre grands les yeux, électrisé par cette voix stridente. Il n'est plus du tout dans la salle à manger accompagné de ses amies. Debout, parfaitement réveillé, il attend quelque chose. Comme la longue file d'individus qui s'étire à perte de vue derrière lui. On dirait une procession d'âmes en peine, le regard vitreux, l'air de ne plus savoir où elles s'en vont. *Qu'est-ce que je fais parmi tous ces gens ? Suis-je mort ? s'inquiète-t-il.*

L'impression d'avoir fréquenté ce lieu auparavant le rassure quelque peu. Un sentiment de déjà vu. Indéfinissable. Pour le reste, il ignore comment il a abouti jusqu'ici. D'ailleurs, où diable est-il ?

Une luminosité verdâtre, diffusée de toute part, baigne une salle étrange. Surnaturelle. Est-ce un songe ? Une certitude gonfle à la lisière de sa conscience.

– *Suivant, je vous prie, répète la voix nasillarde. On n'a pas toute l'éternité !*

Il se rend compte qu'on lui adresse la parole. Devant lui, à une vingtaine de pas, s'ouvre un guichet sur un pan de mur aussi grandiose que la hauteur des étoiles. Infini. Par l'ouverture, une dame voûtée et ratatinée, l'incite à s'approcher d'un geste vigoureux de la main.

– *Allez, mon gars, je n'ai pas que ça à faire, moi ! Grouille-toi !*

Obtempérant, il marche… non, il flotte jusqu'au mur. *Ça, Max, c'est la preuve* irréfutable que tu rêves ! Il remarque, au-dessus du guichet, un écriteau qui annonce en grosses lettres clignotantes : BUREAU DES REQUÊTES ET DES DÉSIRS INAVOUABLES.

– Requête, ou désir ? fait la dame, assise derrière le comptoir.

Fait étrange, le mot requête lui est familier. Intuitivement, Maxime sait qu'il a déjà fait appel à ce service. Où… ? Quand… ? Comment… ? Mystère et boule de gomme. Son ardent « désir » de fuir s'anime alors en lui. En terme concret : comment quitter pour de bon la tanière de l'ensorceleuse ? Obtenir un guide ne serait pas de refus. Bref, quelque chose qui puisse le sortir de là. Peut-il espérer une telle aide ? Qui la lui fournira ?

– Désir, mentionne-t-il mi-figue mi-raisin.

– Votre nom, jeune homme ? enchaîne la mémé, baissant son regard gris vers une caisse débordante de lettres multicolores, disposée à sa gauche.

Celle de droite est aussi pleine, sinon plus.

– Maxime, répond-il, en se demandant s'il y a quelque chose pour lui dans ce fouillis.

– Un petit rigolo, celui-là ! Des Maxime, il en existe des tonnes. Plus de précision, je vous prie. Nom de famille ?

Pour la première fois, il prend conscience qu'il ne connaît pas du tout son nom de famille. Il a beau se creuser la cervelle, rien. Niet. Que dalle. Perdu comme tu l'es, mon vieux, Maxime Légaré t'irait à merveille.

– Juste... Maxime.

La vieille lui jette un regard soupçonneux, aigri, comme s'il faisait exprès pour la contrarier. Le garçon hausse les épaules d'un air innocent. La mémé secoue la tête, irritée. Puis, d'un geste magistral, elle plonge sa main ravinée dans la caisse appropriée. Après un bon moment de farfouillage, elle extirpe une enveloppe rouge qu'elle tend au garçon. En bas-relief, deux mots apparaissent en lettres gothiques : Juste Maxime.

Il n'en revient pas ! Fébrile, il s'éloigne et entreprend de décacheter l'enveloppe, impatient de découvrir son contenu. À l'intérieur, la missive est blanche comme neige. Aucun indice, aucun message. Qu'est-ce que ça signifie ? On se moque de lui, ou quoi ? Derrière son dos, il entend un soupir d'exaspération.

– Combien de fois faut-il le redire ? À lire quand tu te réveilleras ! Suivaaaant !

– vaaaaannnnnnt !

Maxime se redresse brusquement dans la nuit, sans aucun souvenir de s'être glissé sous les draps. Étourdi, le cœur battant, il a l'impression d'avoir chuté du haut d'un immeuble jusqu'à son lit. Dans la pénombre, le mobilier de sa chambre se précise. Le silence baigne la maison entière. Doucement, son rythme cardiaque se calme ; l'écho d'une voix tourbillonne encore dans sa tête. Quelqu'un l'appelait-il ?

Un fragment de rêve effleure sa mémoire, s'accroche à son esprit. Rien de précis, un vague sentiment d'avoir visité un lieu. Et qu'on lui remettait un objet. Qu'est-ce que c'était?

Chevauchée intérieure... Errance... La réponse ne vient pas.

Le rêve reste muet, tirant sa révérence dans l'ombre de l'oubli. Ses paupières se referment sur ce mot: l'oubli. Lui a-t-on dérobé quelque chose? Ses pensées? Sa mémoire? Sa volonté? Les derniers événements, qu'il n'arrive pas à se remémorer en totalité, s'imbriquent les uns par-dessus les autres dans un enchaînement inextricable.

Pendant un instant, son cerveau est dans un brouillard épais.

« Max, tu dois te rappeler. Allez, fais un effort... Concentre-toi... Il faut profiter de la nuit... Pourquoi?... lorsqu'elle dort... son pouvoir est amoindri... Le pouvoir de qui? Ne s'agit-il pas là des paroles d'une certaine... Hina? »

Soudain, l'autre versant du rêve, le monde cauchemardesque de Gabriella, le prend de plein fouet. Tout lui revient en rafales. Autrefois, vivre sous le toit de Gabriella était *acceptable*. Maintenant, vivre sous l'emprise de l'ensorceleuse est franchement *insoutenable*. Maxime serre les poings. L'inconfort glisse sous son épiderme. Il a l'horrible sensation d'être forcé à revêtir des vêtements trop serrés où se faufilerait une araignée venimeuse, dont une seule morsure suffirait à lui enlever toute espérance de vie.

« Ne te laisse pas abattre, Max. Prends sur toi ! »

Il saute hors du lit, tous les sens en alerte. Une solide détermination électrise sa volonté. « La nuit est notre alliée, aussi bien en profiter ! » Le moment idéal pour tout raconter à Chanel et élaborer une tactique d'évasion.

Avant d'abandonner la chambre, il jette un bref coup d'œil par-dessus son épaule, hésitant. Oublie-t-il quelque chose ? « Il n'y a rien pour toi, ici, Max. Rien d'utile. Hormis des souvenirs souillés de mensonges. »

Pourtant, sur le seuil de la porte, il s'attarde. Son instinct le retient. L'indispensable semble lui faire défaut.

« De quoi aurais-tu besoin ? » se demande-t-il. De courage ? Pourquoi ce doute ? Parce que tu n'es plus le même ? Tes souvenirs sont à demi occultés. Parce que tu as peur, effrayé à l'idée d'affronter l'ensorceleuse ? « Tu as peut-être peur, mon vieux, mais tu n'es pas un froussard. Allez, fonce ! »

N'empêche, l'impression d'oublier… quelque chose l'habite.

— Je me demande bien ce que Chanel va penser de tout ça ? s'interroge-t-il pour chasser ses idées noires, tandis qu'il s'engage dans le long corridor.

– Faire semblant de l'aimer ! lui dis-je, éberluée. Maxime, c'est le conseil le plus dément que j'aie jamais entendu !

Maxime vient de me déballer l'abominable imposture de l'ensorceleuse dotée d'un Verrou mental. Il n'y a pas d'issues possibles, abstraction faite de la mascarade dans laquelle on doit tous tremper afin de s'enfuir de cet endroit maudit.

Quelle histoire abracadabrante !

Je le fixe, scandalisée, terrifiée. Les mots me manquent. Est-il possible de fuir ce lieu trompeur ? De retrouver notre vie antérieure ? De faire semblant d'aimer quelqu'un qu'on aurait plutôt envie d'étriper ? Le visage de Maxime, ambré par le rayonnement tamisé de la lampe vénitienne, affiche un air étrangement serein, confiant. Son regard me calme, m'insuffle de l'assurance.

Pour donner suite à ma réplique, il me lance :

– Tu l'as dit ! Et que dire d'un rat qui, en plus d'être pourvu d'une intelligence prodigieuse, connaît les plans tortueux de l'ensorceleuse. C'est hautement délirant, ça !

Là, il fait allusion à mes propres révélations, qui sont, je l'avoue, tout aussi hallucinantes. Ses yeux ont l'air de dire : où est la logique là-dedans ? La folie se paie bien notre tête, hein ? Je meurs d'envie de protester. De crier haut et fort : la folie, très peu pour moi ! Je me retiens, de peine et misère, car il est 4 h 16 du matin. Assis face à face dans la biblio, nous devons éviter de réveiller Gabriella, sinon gare à nous.

Le silence est d'or, n'est-ce pas ? Je peux bien m'accorder un moment de répit, dans ma tête bien sûr. D'abord, résumons.

De mon côté, je lui ai raconté l'aide providentielle que nous avons obtenue de Ravioli, le rat zébré. Maxime a fait les yeux ronds lorsque je lui ai appris que cette bestiole nous avait fourni des informations de la plus haute importance. À vrai dire, c'est Justine qui a servi d'interprète. C'est elle, la première, qui a fait la rencontre de ce rongeur à l'intelligence remarquable.

Donc, au dire de ce rat, notre vision est limitée, falsifiée. En d'autres mots, nous ne distinguons pas le monde environnant tel qu'il est réellement. À maintes reprises, la réalité nous a été dérobée au moyen des biscuits. La razzia sur les biscuits, accomplie par Justine et Ravioli (je sais, un duo incroyable), a constitué le premier pas vers notre *émancipation* visuelle. Évidemment, ce dégât salvateur a contrecarré les diableries de Gabriella et l'a fait sortir de ses gonds. Voilà qui éclaire ma lanterne quant à son emportement verbal : ses affaires en or, eh bien, c'était nous trois… De quoi donner la nausée.

Mais la chipie, enfin l'ensorceleuse, a plus d'un tour de sorcellerie dans son sac à malices.

Elle ne s'est pas laissé déjouer. Le souper alléchant qu'elle nous a concocté a été préparé comme un appât à gibier. Son but : nous soumettre davantage à sa volonté et, faisant d'une pierre deux coups, enrayer quelques souvenirs *compromettants*.

Or, grâce à l'intervention de Ravioli, le *gibier* (nous, en somme) n'est pas tombé dans le panneau. On a rien bouffé, ou presque… Gabriella était furieuse. Maxime a rougi, constatant qu'il avait bien failli tout faire échouer. Mais la honte s'est rapidement envolée, comment pouvait-il deviner ? À la suite de ce *jeûne* délibéré, d'ici quelque temps, notre vision se rétablira et percevra le monde tel qu'il est réellement.

Aseptisés de la sorte, nous avons perdu toute notion du temps. Depuis combien de jours sommes-nous captifs, séparés de nos familles, loin de ceux qu'on aime, notre esprit verrouillé dans ce monde fallacieux ? Longtemps ?

– Nos parents doivent être morts d'inquiétude, déclare Maxime, d'un ton grave.

Je cligne des yeux, revenant dans l'atmosphère feutrée de la bibliothèque.

Évoquer la présence de mes proches, quelque part dans un monde auquel je n'ai plus accès, me chagrine. Les parois luminescentes de la lampe tracent des étincelles dans le regard de mon ami. Un regard farouche que je n'ai pas l'habitude de voir chez lui.

– En effet, dis-je, ça explique pourquoi nous n'avons jamais de nouvelles d'eux. Que s'est-il passé lors de notre disparition ? Comment sommes-nous tombés entre les pattes de l'ensorceleuse ? Elle nous a kidnappés ? Hypnotisés ?

– Ensorcelés, ça va de soi, répond sombrement Maxime.

À voir son regard incandescent, il n'a pas l'intention de moisir ici. Il enchaîne :

– Une chose est certaine, nos parents ont entamé des recherches. Par conséquent, si on ne donne pas signe de vie, ils vont finir par croire qu'on est morts.

Silence. Au-dehors, le gris perle estompe le velours de la nuit. Le soleil émergera bientôt à l'horizon. Ce nouveau jour fait une ombre sur notre situation : nous n'avons pas encore établi de plan. Comment allons-nous nous échapper ?

Maxime grimace, se masse le ventre et marmonne :

– J'ai à peine avalé une bouchée depuis vingt-quatre heures. Je suis carrément un estomac sur pattes, gargouillant et inapte à réfléchir ! Y a-t-il un truc à manger ? Inoffensif, de préférence. Qui ne risque pas de nous rendre mabouls ?

– Des pommes, dis-je en réprimant un fou rire.

– Des pommes ? répète-t-il en mimant un air capricieux. Piètre menu. Ne sais-tu pas que les hamburgers sont, côté santé, plus nutritifs ? Que dis-je ? Mille fois plus nourrissants ! Bah ! T'en fais pas ! Vu ma fringale, j'avalerais facilement un

chaudron de navets trop cuits. Mais, honnêtement, je préfère les pommes. Crues.

Je ris de bon cœur. J'aime son humour. Au
début, je ne l'appréciais pas beaucoup. Je le
trouvais décapant, suffisant. Mais maintenant,
c'est tout autre. Cette boutade, lancée comme
un pied de nez à notre infortune, me fait énor-
mément de bien ! Son humour transforme notre
dure réalité en quelque chose de plus… vivable.

— Je conserve toujours une réserve de
pommes dans mon garde-manger improvisé.
Très utile pour créer une diversion aux terreurs
nocturnes de Justine. Viens, je vais te montrer.

Dans la semi-obscurité, suivie de Maxime, je
me dirige vers le meuble antique couronné d'un
griffon. La surface de la porte n'a rien de
notable. Le bois est lisse, et particulièrement
massif. À deux mains, j'agrippe le lourd battant.
Quelle pesanteur cette porte ! Rien d'étonnant
que tout reste frais là-dedans. Une fois ouvert,
j'en retire deux belles pommes vertes.

— Où est Justine ? s'enquiert-il en prenant le
fruit que je lui tends. Ne préfère-t-elle pas
dormir dans la bibliothèque ? Justement, à cause
de ses frayeurs nocturnes.

— Pas tout le temps. Faut dire qu'hier, après
toutes ces péripéties, la petite était exténuée.
Alors, le sommeil n'a pas tardé à venir.

— Chanceuse, va ! Moi, avec tout ce que je
sais à présent, je n'arriverais même pas à fermer
l'œil une seule seconde. Je n'ai qu'une obses-
sion : m'évader !

– Et moi donc !

Nous nous laissons choir dans les fauteuils capitonnés. Maxime croque voracement dans sa pomme, moi dans la mienne. L'espace d'un instant, un fragile moment de ravissement, son goût acidulé me ravigote. C'est drôle comme les choses simples rafraîchissent les idées !

Toutefois, un bémol résonne dans ma tête.

– Maxime, j'ai des réserves face à cette communication télépathique. Réfléchis, c'est peut-être un leurre. Faire semblant d'aimer Gabriella m'apparaît dangereux. Selon moi, c'est une façon insidieuse de se soumettre davantage à ses désirs. Tu ne penses pas ?

– Oui et non, admet-il, c'est pour cette raison que Hina m'a exhortée à la vigilance, quoique je ne voie pas où est le danger. Au fond, qu'a-t-on à perdre d'essayer ? Si Gabriella ne se doute de rien, elle nous laisse tranquille et, du coup, la voie est libre.

J'approuve, même si le doute persiste. Qu'avons-nous à perdre, en effet ? Notre liberté ? Notre vie ? Soudain, je revois la noyade de Mathieu. Ma gorge se contracte. Dois-je en parler ? Ai-je le droit de faire voler en éclats tous nos espoirs, déjà si fragiles ? Avec des paroles qui n'auront rien d'encourageant ? Des paroles noircies de mort ? Je m'astreins au silence. À trop tergiverser, on finit par stagner.

– Va pour essayer, dis-je, déterminée. Alors, par où commence-t-on ? Quel est l'indice de Hina, au juste ?

– L'antre des connaissances, articule-t-il entre deux bouchées, soupesant chaque mot, cherchant à percer le mystère derrière cette métaphore.

– C'est censé nous indiquer la voie ?

– Le passage gravé, mouais, me précise-t-il la bouche pleine.

Pendant que je déguste ma pomme, je balaie la pièce du regard. Je détaille le nombre faramineux de bouquins classés sur les étagères, le bois de merisier lambrissant le plafond, le marbre veiné du sol. Les bêtes mythologiques, disséminées dans la pièce, ajoutent une ambiance de… grotte mystérieuse. Mais bien sûr…

– Maxime ! dis-je en frétillant d'excitation sur mon siège. L'antre des connaissances, c'est la bibliothèque ! Ça ne fait aucun doute. Peut-être faut-il consulter l'un de ces livres ?

– Tu crois ? Remarque, c'est logique. La réponse se révélera dans l'un d'entre eux.

Curieuse, je me lève, m'approche des rayonnages et, au hasard, je promène mon regard sur les titres. Certains sont farfelus, *Trouvez la fée en vous, dix étapes simples*; d'autres, plus sombres, *Esprits élémentaux utilisés pour l'envoûtement*; ou encore, complètement mystérieux, *Le M'alice, l'Arbre du voyageur*. Je m'attarde, zieute la myriade de reliures qui s'étalent sur tous les murs. Combien peut-il y avoir de livres dans cette pièce ? Des centaines ? Des milliers ?

Découragée par l'ampleur de la tâche, je retourne à mon fauteuil, en poussant un immense soupir :

– Par contre, t'as vu le nombre de bouquins ? Ça va nous prendre des jours et des jours pour les lire ! C'est une tâche démesurée ! On n'a quand même pas toute l'éternité !

Pendant un instant, Maxime me dévisage comme si je venais d'allumer en lui quelque chose. Une idée. Un souvenir peut-être. Son regard, absent, fouille dans sa tête. Il fronce les sourcils, ennuyé.

– Qu'y a-t-il ? Tu m'as l'air préoccupé ?

– Non, rien, élude-t-il, en battant l'air avec sa pomme. Ça me rappelle… un truc… mais ça ne me revient pas.

Son attitude traduit sa frustration. Je le gratifie d'un sourire navré, comprenant son impuissance à retracer ses souvenirs. Depuis que je porte la bague à tête de dragon, moi aussi, je suis foudroyée par des accès de souvenirs évanescents. Des images évocatrices d'un autre monde, qui s'évaporent dans l'instant. On finit par s'habituer à ce genre de raté incontrôlable. Peut-être devrions-nous creuser plus à fond ? Lutter contre cette amnésie aussi soudaine qu'inexpliquée. Mais non, on finit par se dire qu'il est inutile de ratisser la zone de notre mémoire mutilée. L'ombre de l'oubli.

Voyez, Maxime est déjà attiré par autre chose. L'oubli devient… naturel.

La tête inclinée, il observe attentivement un point fixe situé derrière mon dos. Intriguée, je me retourne, faisant couiner le cuir lustré de mon fauteuil.

– Maxime, qu'est-ce que tu regardes de cette façon ?

– Le meuble dans lequel tu conserves les pommes.

– Ah bon ! Pourquoi ?

– Si, par hasard, j'avais mal interprété la consigne de Hina. Si ce n'était pas l'*antre* des connaissances, mais plutôt... entre, comme dans e-n-t-r-e ! *Entre* les connaissances...

Il se lève et se dirige vers l'armoire. Je le talonne.

– D'accord, mais quel est le rapport ?

– Ouvre la porte, m'ordonne-t-il, ignorant ma question.

Je dépose le trognon de ma pomme et, sans m'offusquer de l'impétuosité de sa voix, je m'exécute. Est-il sur une piste ? D'un geste circulaire de la main, je lui montre les tablettes :

– Tu vois, il n'y a pas grand-chose d'intéressant, à part quelques bibelots. Aucun livre susceptible de nous indiquer le chemin.

Sans relever ma remarque, il me pousse gentiment et se met à examiner le meuble, complètement absorbé. Sourcils interrogatifs, lèvres pincées, il a l'air d'un expert brocanteur évaluant la trouvaille du siècle.

– Veux-tu bien me dire ce que tu fabriques ?

– Est-ce le seul endroit... enfin le seul espace de la biblio où il n'y a aucun livre ?

Il me répond par une question. Là, ça commence à m'agacer.

Prenant des airs… d'expert, je le guide vers un autre meuble antique, du côté opposé de la salle. Un carreau de vitre fait office de porte, les pieds sont terminés par des pattes de lion, et une bande de diablotins, hilares et laids à mourir, en coiffe le dessus. Avant que Maxime ait le temps d'ajouter quoi que ce soit, je l'entraîne un peu plus loin. À l'endroit où un énorme miroir mural, au reflet dépoli et fendillé, est enchâssé dans un large cadre de bronze.

Debout, je croise les bras et, adoptant un air qui a du chic, je lui déclare :

— Alors ? La visite t'a plu ? Qu'est-ce que tu envisages ? Une vente aux enchères ?

Son regard s'illumine. Le mien s'assombrit. Va-t-il m'expliquer à la fin ? Indifférent à mon impatience, il continue à me mitrailler de questions.

— Bon, dit-il, que vois-tu à gauche de ce miroir ? Des livres ? C'est bien. Maintenant, regarde à droite. Qu'est-ce qu'il y a ? Encore des livres ? C'est très bien. Des livres, c'est en somme des connaissances, non ? Tu ne piges pas ? J'y arrive. Donc, au centre de tous ces bouquins, c'est-à-dire *entre* toute cette fabuleuse connaissance, bref au milieu, il y a…

— Eurêka ! crié-je, lui coupant la parole. Ce miroir est situé *entre* les connaissances ! Bonté divine, c'est notre porte de sortie !

— Bravo !

— C'est bien, c'est même trèèèès très bien, dis-je moqueuse, mais tu sembles négliger un détail.

— Quoi donc ? s'étonne-t-il en haussant un sourcil.

— Eh bien, prendre en considération les trois options : le meuble vitré, l'armoire au lourd battant et ce miroir vieux comme Mathusalem. Seulement, voilà : lequel choisir ?

— C'est vrai ça, trois objets situés *entre* les connaissances, c'est plus que l'embarras du choix. Lequel s'ouvrira sur le passage ? Lequel…

Maxime s'interrompt.

J'ai conscience qu'il se demande pourquoi je ne l'écoute plus. Mon regard s'est fermé, mon esprit monopolisé ailleurs. Je perçois un changement notable. Je scrute les alentours, tracassée. Il y a un truc qui me dérange. Qu'est-ce que c'est ? La clarté grandissante ? Notre vision qui s'améliore ? L'apparence de la bibliothèque s'est-elle modifiée ? Peut-être, mais il y a autre chose…

J'ai la gênante impression qu'on nous… observe.

Malaise.

L'étranger

Toujours debout, Chanel regarde de droite à gauche, tandis que le chat au dos rond imprimé sur sa camisole fait de drôles de contorsions. Maxime note son regard tracassé. Elle contemple les fenêtres en ogive, tout au fond de la salle. Qu'y a-t-il? pense le garçon. Il se rend compte que la clarté du petit matin commence à s'y infiltrer. Bientôt, la lampe n'aura plus aucune utilité, le ciel incendié par le soleil levant irradiera vers la pièce.

La belle rebelle reprend la parole, une teinte d'inquiétude altère sa voix :

— Laisse tomber les trois options pour le moment, tu veux. Et abordons plutôt un problème plus urgent. L'ensorceleuse. Elle est très matinale. Or, si madame nous surprend ici, à comploter dans son dos, je ne donne pas cher de notre peau.

— Gabriella n'osera pas mettre les pieds dans cet endroit, son accès lui est interdit. Un cercle de protection en délimite le périmètre.

Les deux amis sursautent.

Aucun d'eux n'a prononcé ces paroles.

Elles ont jailli comme une bonne claque dans le dos. Sonores et inattendues. Une voix rauque, masculine. Rien à voir avec l'ensorceleuse. Du coin de l'œil, grâce au reflet du miroir mural, ils distinguent une mince silhouette. La réflexion est embrouillée, craquelée. Malgré cela, la perception générale est très nette dans l'esprit des deux adolescents. Cet être, qui se dresse à quelques pas d'eux, n'est pas entièrement... humain.

Chanel et Maxime se regardent, incertains. Puis, pivotant d'une lenteur calculée, ils font face à l'étranger.

Instinctivement, Chanel recule. Endigue la peur que le nouveau venu diffuse en elle. Ce n'est pas son air menaçant qui l'effarouche, mais son aspect... anormal. Un croisement entre l'homme et l'animal. Un frisson lui parcourt l'échine. Cet être a souffert. Chanel le sait, le sent au plus profond d'elle-même. Son don ne la trompe jamais.

Les yeux de cette créature, d'un bleu acier, dégagent une énergie sauvage. Chanel ne peut détacher son attention de ce visage anguleux, accusant une physionomie animale, sur laquelle se lit le débat d'une vie brisée. Cela lui rappelle la vision provoquée par le bout de papier que Maxime a trouvé sous son oreiller : celle de la créature métamorphosée. Est-ce lui le porteur de ce mystérieux message ? Difficile à dire. Une chose est certaine, la même dualité émane de son regard : souffrance et hostilité. Est-ce de la

peur que ressent Chanel ? De la pitié ? De l'atti-
rance ? Elle tressaille, un flot confus d'émotions
la submerge.

Ébranlée, elle consulte Maxime du regard.

Lui aussi est estomaqué par ce qu'il voit. Il
en a échappé sa pomme.

Le crâne de la créature et le contour de son
visage sont hérissés d'une multitude de poils
zébrés. À mieux y regarder, on dirait bien de
la… fourrure. Son menton est saillant, volon-
taire ; ses lèvres, ironiques. Le regard est franc.
Son bras droit, tout comme une partie de son
visage, présente des caractéristiques animales :
main griffue, museau étroit et oreilles pointues.
Sa tenue vestimentaire trahit son vagabondage :
torse demi-nu, bermuda usé, et bottes garnies
de boucles. Toutefois, une soubreveste
tombant jusqu'aux genoux, parée d'aiguil-
lettes, effilochée et rapiécée, lui donne un air
d'aventurier.

Retrouvant ses esprits, Maxime demande :

– Qui êtes-vous ?

– Certains me nomment Ravioli. D'autres,
sale vermine. Chacun y va selon son inspiration.
Personnellement, j'ai un faible pour Falkir, ça
sonne plus *humain*.

Maxime se penche vers Chanel et murmure,
mi-éberlué, mi-froissé :

– On s'est bien payé ma tête ! Ravioli, c'est
un rat ou un homme en fin de compte ?

– Les deux ! lui répond sans détour
l'étrange créature. Un affreux mélange des

127

deux. Mon apparence vous rebute, n'est-ce pas ?
N'ayez crainte, je ne mords pas ! Je suis aussi
doux qu'un agneau paissant dans un champ de
pâquerettes !

Fait curieux, la réponse a fusé d'un ton
enjoué, telle une constatation risible, négli-
geable, où seule la raillerie, savamment dosée,
peut émousser une peur à prime abord irrai-
sonnée, mais combien réelle. Les épaules des
deux amis se détendent.

– Mais, enfin… poursuit Maxime, choi-
sissant bien ses mots pour ne pas vexer son
interlocuteur, votre apparence… que vous est-il
arrivé ? Vous avez… enfin, vous n'êtes pas…

– Un hybride, conclut Chanel, surprise
d'employer ce terme si aisément. N'êtes-vous
pas un être métissé, entre l'homme et le rat ?

– Un métissage forcé, rien de plus ! déplore-
t-il, en serrant le poing de sa main griffue. En
fait, je ne suis que le fruit d'une vengeance.
D'un mauvais sort, si vous préférez. Une incantation proférée par Gabriella qui me condamne
à errer à jamais dans la peau d'un misérable rat !
Au fil des années, j'ai réussi à contrer *partiel-
lement* le sortilège, m'allouant de brefs
moments de répit. Ainsi, je n'ai que de maigres
périodes de temps pour m'affranchir de ce
maléfice.

Falkir desserre le poing. Ravale de toute
évidence sa colère. Domine sa respiration. Sur
sa poitrine bondissante, Chanel remarque une
toison tigrée.

Alarmée, elle demande :

— Est-ce qu'un sort semblable nous est destiné ?

Pendant un moment, Falkir considère la jeune fille sans prononcer un mot. Pourquoi ce silence ? Cette hésitation ? Rêve-t-elle ou les pupilles de Falkir ont-elles redoublé d'intensité ? Son regard est captivé par le bijou qu'elle porte au doigt : la bague à tête de dragon. Une lueur indéfinissable tremble dans ses yeux acier. Intimidée, Chanel glisse sa main derrière son dos.

D'une voix paisible, qui contraste avec son aspect de dur à cuire, Falkir explique :

— Gabriella ne peut vous causer aucune blessure physique. L'aliénation mentale est sa spécialité. Dénuée de tout scrupule, elle se fabrique une famille en ravissant les enfants les plus doués, vole leur mémoire et usurpe l'identité de leur mère. Tout cela, au risque de vous plonger dans une grande confusion mentale.

— Les plus... *doués* ? relève Maxime, en lançant une œillade perplexe à Chanel. Qu'avons-nous de particulier ?

— Chacun de vous êtes en possession d'un don rare, un pouvoir dont elle a besoin pour se nourrir. Elle n'a aucune affection pour vous, ni aucune considération, si ce n'est l'énergie vitale dont elle peut bénéficier. Ce noble sentiment maternel qu'elle extériorise avec subtilité n'est qu'un prétexte. Une façade.

Maxime reste sans voix. Chanel a, sans conteste, un don exceptionnel. Justine réussit à communiquer avec la gent trotte-menu, ce qui n'est pas rien. Mais lui, garçon tout à fait ordinaire, n'exploite aucun de ces talents *particuliers*. À tout le moins, s'il possède un don, il n'en est pas conscient. Le plus horrifiant, c'est que l'ensorceleuse s'en nourrit !

— Ainsi, poursuit Falkir, il lui est impossible de porter atteinte à votre vie, encore moins de vous éliminer. Ce faisant, Gabriella se priverait du flux vital dont elle a besoin pour vivre. Mais... la folie vous guette.

D'un geste nerveux, Maxime ébouriffe ses cheveux. « À ce rythme-là, se dit-il, on va finir dans un asile à se cogner la tête contre les murs. » Restons lucides. Quelque chose cloche dans ce discours.

— Si je comprends bien, lance-t-il dubitatif, vous êtes l'exception à la règle. Qui nous assure que la sorcière ne nous jettera pas un sort de vengeance ? Comme il vous est *manifestement* arrivé...

Falkir pose sur lui un regard farouche, mêlé de déception. Maxime déglutit, mal à l'aise. La bête en lui est *si* présente.

— Parce que vous n'êtes pas uni à elle par les liens du sang.

— Les liens du sang ? souligne Chanel.

— Je suis le frère de Gabriella, explique-t-il, laconique.

Les deux amis échangent un haussement de sourcils, stupéfaits. Cet être, amputé de sa chair d'homme, arbore sous sa mine patibulaire une amertume palpable. Il va sans dire qu'il a prémédité une vengeance contre sa sœur. Son aide leur est plus que providentielle, elle est indispensable.

L'ensorceleuse flairera-t-elle sa traîtrise ?

S'agit-il de s'unir à lui pour fuir ?

Abandonner ?

– **F**ALKIR, connaissez-vous l'existence d'un passage secret situé quelque part dans la bibliothèque ? s'empresse de demander Maxime, plein d'espoir. Un passage vers notre monde respectif.

– Et qui nous permettrait de partir d'ici une fois pour toutes ! renchérit Chanel.

L'étrange créature s'agite, ne prête aucune attention à leur requête. Un pli d'inquiétude sillonne son front. Contournant les fauteuils en cuir rouge, il s'éloigne, le pan de sa longue veste volant derrière lui. À grandes enjambées, cadencées par le cliquetis de ses bottes, il se dirige vers les fenêtres parées de rideaux ivoire, au fond de la pièce. Intrigués, les deux amis lui emboîtent le pas.

– Le temps presse ! Sous peu, je ne serai plus qu'un vulgaire rat, lâche-t-il en coulant un regard au dehors. Écoutez bien : la bibliothèque est le seul endroit non altéré par la magie de Gabriella, le reste de la maison n'est qu'une illusion de mauvais goût ! Si vous demeurez ici, entre ces murs, tout ira bien. Je vais improviser une diversion, ajoute-t-il en se retournant, quelque chose qui puisse vous…

Falkir s'arrête net de parler. Jette des coups d'œil furtifs autour d'eux. Sonde la pièce. Que cherche-t-il ?

— Justine n'est pas avec vous ?

Sa voix a claqué, cassante comme un reproche.

— Elle dort, répond Chanel sur la défensive. Hier soir, je l'ai bordée dans son lit, elle récupère…

— Vous ne devez, sous aucun prétexte, abandonner l'un d'entre vous de l'autre côté ! gronde Falkir, quittant la fenêtre.

— Abandonner ? s'indigne la jeune fille. Je ne ferais *jamais* une chose pareille !

— C'est pourtant le cas !

— Qu'y a-t-il de mal à laisser la petite dormir dans sa chambre ? intervient Maxime, irrité par l'attitude autoritaire de l'homme-animal.

Falkir se retourne, plisse ses yeux d'acier, plonge son regard dans celui du garçon, puis dans celui de la jeune fille :

— Le mal ne repose pas dans les gestes que vous allez poser. Le mal sévit à l'extérieur de ces murs : un univers échafaudé par l'ensorceleuse afin de mieux vous amadouer. Un univers mal dégrossi et inachevé, mais crédible à cause de l'effet des biscuits. Mais Gabriella ne cédera pas facilement sa domination. Si l'un d'entre vous est égaré de l'autre côté, elle s'en servira pour tendre ses filets. Pour éviter cela, vous ne devez jamais vous séparer, chacun ayant les yeux dans le dos de l'autre.

Forcés d'admettre que le danger plane, les jeunes hochent la tête. Une question néanmoins brûle les lèvres de Chanel :

– Pourquoi faites-vous cela ? Pourquoi nous venir en aide ?

La question désarçonne un instant Falkir. Il embrasse du regard la bibliothèque, comme s'il rassemblait des souvenirs. Nostalgique. Puis, d'une voix rauque, il résume :

– À une époque lointaine, j'ai connu la propriétaire de ce domaine. Une femme admirable et dont l'amitié m'était très chère. Malheureusement, lorsque Gabriella a déployé son pouvoir pour s'emparer des lieux, je... je n'ai pu rien faire pour l'en empêcher.

Il marque une pause. Détourne son visage en serrant la mâchoire.

– Je l'ai lâchement abandonnée... enchaîne-t-il. En vous aidant, j'ai l'impression de me racheter... même si ce geste ne comble pas sa perte...

Sa perte ? Ainsi donc, Gabriella a expulsé la résidante, impunément volé sa demeure et, pour parachever le tout, y a tarabiscoté un univers trompeur. L'escroquerie personnifiée ! Toutefois, puisqu'elle ne liquide pas ses victimes, qu'est-il advenu de l'ancienne propriétaire ? Est-elle toujours vivante ? Lui a-t-elle infligé un maléfice ?

Maxime croise le regard de Chanel. Ses yeux brillent. Pense-t-elle la même chose que lui ? Il n'aime pas sauter aux conclusions, mais s'il s'agissait de Hina, cette personne avec qui il a conversé lors de son exil sur Terre Isolée. Gabriella lui aurait-elle fait subir un sort qui masque son corps aux yeux des autres? Invisible à jamais...

— Falkir, ça va vous paraître incroyable, commence Maxime enthousiasmé, mais récemment j'ai été contacté par une femme. À vrai dire, il m'était impossible de la voir, mais nous avons tout de même réussi à communiquer par la pensée.

Chanel poursuit:

— Elle connaissait, tout comme vous, les agissements diaboliques de Gabriella. Peut-être est-ce la même personne que celle dont vous parlez?

Falkir se retourne brusquement vers le garçon:

— T'a-t-elle dit son nom?

— Hina.

Une lueur d'incrédulité brûle dans les yeux de la créature. Un frêle sourire éclaire ses traits, ranime l'homme qui sommeille en lui. L'espoir longuement éteint, semble renaître. Il ouvre la bouche. Tente de prononcer un mot. En vain. Un rayon de soleil matinal inonde son profil droit. Un rayon de trop. Incommodé, Falkir titube sur le plancher de marbre. L'expression de son visage se décompose.

— Navré... je dois vous... quitter..., annonce-t-il d'une voix défaillante. Méfiez-vous...

Sous les yeux médusés de Chanel et de Maxime, l'enveloppe corporelle de leur nouvel ami se désintègre. Zébrées de lumières éblouissantes, les particules de son corps se volatilisent, éparpillant autour de lui une fine pluie d'étincelles. À l'endroit même où se dressait Falkir cinq secondes plus tôt, il ne reste plus qu'un filet de poussière en suspension dans un rai de soleil.

Le destin, scellé dans le sortilège, a fait son œuvre : l'homme, quelque part, est redevenu un rat.

Les deux amis ont à peine le temps de se remettre de leur surprise qu'au loin, un éclat de voix leur parvient. Un cri suraigu. Comme celui d'une fillette qui se retrouve aux prises avec une chauve-souris s'accrochant à ses cheveux.

— Justine est réveillée, constate Chanel. Et elle n'a pas l'air d'apprécier ce qui l'entoure, je vais la chercher.

Se rappelant les conseils de Falkir, Maxime lance :

— Je t'accompagne !

D'un même pas vif, ils se dirigent vers la porte de la bibliothèque. Chanel tend la main vers la poignée, puis freine son geste, réticente. Une chape d'inquiétude la paralyse. Quel danger menace de l'autre côté ? Falkir a pourtant affirmé que Gabriella ne tuait pas ses victimes. Et s'il faisait erreur ? Ce serait horrible !

Remarquant son hésitation, Maxime pose une main sur l'épaule de la jeune fille.

— On ne se quitte pas des yeux, d'accord ? l'encourage-t-il.

– Maxime, je dois te confier quelque chose… C'est important que tu le saches…

Patient, l'adolescent écoute, sachant que le temps n'est guère choisi pour les confidences.

– Il s'agit de Mathieu. Tu sais, ce garçon perdu en forêt. Écoute, il a été froidement… noyé. Assassiné !

Pendant trois secondes, le garçon éclate d'un fou rire nerveux :

– Assassiné ? Tu étais là quand Gabriella m'a fait sa leçon de morale. Mathieu ne s'est pas noyé, voyons, il s'est perdu en forêt et…

– Gabriella ment comme elle respire !

– Rappelle-toi ce que Falkir nous a dit, insiste-t-il. Elle ne peut nous *ôter* la vie. Sinon…

– Il se trompe !

La respiration de la jeune fille s'emballe :

– Ce n'est pas du tout ce que j'ai vu ! Il y avait deux mains blanches qui s'acharnaient sur le garçon ! Qui s'ingéniaient à lui enfoncer la tête sous l'eau, qui cherchaient à le tuer !

– Quoi ? s'étrangle Maxime, horrifié. Tu as *vu* la scène ! Tu étais là !

– Pas *vu, de mes yeux vu* ! riposte-t-elle, le teint plus pâle que jamais. Mais *vu* avec mon troisième œil, qu'est-ce que tu t'imagines ? Je…

Un cri perçant, désespéré, interrompt leur conversation. Le duo tourne vivement la tête vers la porte close. De l'autre côté, quelque chose effraie Justine. Chanel se rend compte que le moment n'est pas approprié pour s'attarder. Pour choisir les mots justes. Des mots qui suscitent le courage.

– Maxime, je… je voulais t'avertir du danger qui nous guette, c'est tout, conclut-elle en saisissant la poignée de la porte.

C'est tout ? Pour Maxime, c'est épouvantable !

Il approuve néanmoins d'un mouvement de tête, tâchant de dissimuler le malaise qu'a soulevé cette révélation. Chanel a beau exploiter un don inestimable, les prémunissant contre d'éventuels périls, le monde qui se dresse de l'autre côté n'en est pas moins redoutable. Et s'ils fonçaient tête première dans un traquenard ? La perspective de terminer ses jours noyé lui fout la trouille.

– Je n'arrive pas à l'ouvrir ! peste Chanel. Donne-moi un coup de main !

Arraché du néant, l'adolescent s'aperçoit que la porte résiste.

Est-elle verrouillée ?

Bloquée ?

De l'autre côté

L E BATTANT finit par s'ouvrir dans un étrange bruit de succion. Une odeur de renfermé leur saute aux narines. Hébétés, ils constatent que la porte, côté corridor, est noircie de pourriture. Poisseuse. Son bois est aussi vermoulu qu'un quai de pêche désaffecté depuis des décennies. Ont-ils la berlue ? Pourtant, il y a quelques heures, cette surface était en merisier, parfaitement solide.

Est-ce un prélude à leur « émancipation » visuelle ?

L'odeur de moisi s'intensifie. Entêtante. Les deux amis balaient l'air de leurs mains.

— Qu'est-ce que... c'est quoi ça ? laisse tomber Maxime, avisant le couloir méconnaissable au-devant d'eux.

Chanel semble avoir reçu un formidable coup de poing au creux de l'estomac.

— L'univers inachevé de Gabriella, souffle-t-elle, choquée. Cette réalité qui nous a été dissimulée à l'aide des biscuits que nous avons consommés.

— C'est incroyable !

– Préparons-nous. À mon avis, on est loin d'être au bout de nos surprises ! Paré ? Allons-y ! ajoute-t-elle avant de s'élancer résolument.

Le garçon opine sans grande conviction. C'est que la maison a pris un sérieux coup de vieux ! Avec la sensation curieuse de pénétrer un monde *irréel*, il franchit le seuil à son tour. Observe d'un œil confus l'univers qui l'entoure.

La disposition générale des pièces est identique. Facile de s'y repérer. Sauf que… sauf que tout est enveloppé d'une large palette de gris. Délavé. Craquelé. Terne à mourir. Le plancher du corridor, autrefois impeccable, est à présent couvert de poussière. Déformé, il est aussi incliné que le pont d'un navire à la dérive. Chaque pas donne le mal de mer et fait craquer le plancher comme une bicoque qui va s'effondrer. De part et d'autre du couloir, les portes penchaient selon des angles bizarres, évoquant des bouches grimaçantes.

Pas invitant du tout !

Maxime a peine à croire que, encore hier, ce décor n'existait pas. Enfin, à ses yeux. En effet, difficile de s'imaginer qu'en l'espace d'une nuit, la luxueuse maison de douze pièces s'est transformée en une misérable bicoque de cent ans. Il a la chair de poule à l'idée que lui et ses amies ont déambulé dans ce mirage inhospitalier, leurs perceptions totalement faussées sans même le savoir !

Chanel évolue dans cette nouvelle réalité de façon déconcertante : fluide, alerte, l'oreille dressée. Il est surpris de son aplomb. Elle s'est barricadée dans un cocon de témérité, ou quoi ? Sans cette angoisse qui lui durcit les traits, Maxime serait porté à croire qu'elle est à l'aise. Il cadence ses pas au rythme de son amie, la suivant de près.

– Justine ! appellent-ils sans relâche. Juss-tiii-ne !

L'absence de réponse amplifie leur crainte. Où peut-elle bien être ? À la cinquième ouverture grimaçante, les deux compères pénètrent dans la chambre de la fillette. Elle n'y est pas. Toutefois, ils s'immobilisent, écarquillent les yeux, sidérés.

Cette pièce n'évoque en rien une chambre d'enfants, si ce n'est du vieux matelas défoncé traînant au milieu. L'endroit ressemble à une grotte antique.

Des centaines de racines surgissent du plafond. Elles se contorsionnent, s'enchevêtrent, s'étalent partout et font parade de leurs extrémités fourchues. Une anarchie de mains ligneuses, acérées, prêtes à vous griffer au passage. Cauchemardesque. Dans un coin, Chanel devine une présence tapie dans l'ombre des racines. À l'affût. Qui lui cause une peur folle !

Une maison munie de racines mouvantes où se cache un monstre effrayant, lui avait déclaré Justine pour motiver ses peurs nocturnes. C'était donc vrai !

– Bon sang ! À voir cette monstruosité, Justine a pris ses jambes à son cou, déduit

Maxime, incapable de quitter des yeux les racines qui s'entrelacent. Nous devons la retrouver et ficher le camp sans tarder ! T'as une idée où elle a pu se réfugier ?

– Elle a eu très peur. Mais… je ne comprends pas…

– Ça me paraît *bigrement* évident, non ?

Son amie ne répondant pas, il se retourne et constate qu'elle a fermé les paupières. Le nez levé, méditative. Que fait-elle ? « Ce n'est pas le moment de rêvasser », pense le garçon. Entre ses sourcils, deux petits plis d'inquiétudes se forment. À moins que… bien sûr, elle ne sollicite son don. Capte-t-elle la présence de Justine ? Un peu comme un radar ? La sent-elle à proximité ? Ou à l'autre bout du monde ?

Anxieux, il attend. Pourvu que rien de fâcheux ne lui soit arrivé.

Soudain, Chanel ouvre grands les yeux, pousse un hoquet de stupeur et s'écrie :

– Il ne faut pas ! Justine ? Tu m'entends ? Ne l'écoute pas !

– Qu'y a-t-il ? s'inquiète aussitôt Maxime.

– Dépêchons-nous ! fait-elle brusquement en rebroussant chemin. C'est mauvais signe !

Comme s'il l'ignorait ! D'ailleurs, quel signe ? Tout, alentour, est mauvais signe. Obtempérant, il tourne les talons, suit la jeune fille à la course. Il est conscient qu'il se passe quelque chose de grave, mais il aimerait bien être mis dans la confidence.

144

En sortant de la chambre-tanière, Maxime évite *in extremis* une racine affûtée. Sur le qui-vive, il demande :

— Que se passe-t-il ?

— Justine ne réagit pas normalement, explique-t-elle par-dessus son épaule.

— Pas normalement ? Tu en as une bonne, toi ! Elle nage en pleine crise de panique, ça va de soi !

— Au contraire, Justine n'est pas du tout affolée. C'est loin d'être bon signe ! Son esprit est plutôt embrouillé, comme engourdi par une force extérieure à sa volonté.

Inutile d'en rajouter. Il n'y a qu'un mot pour expliquer cette inertie psychologique : l'ensorceleuse ! Voilà qui ne leur dit rien qui vaille. La peur enfle dans le cœur des deux amis. Dans leur for intérieur, ils n'ont qu'une seule envie : déserter ce lieu maudit ! Une option inimaginable pour l'instant, car leur camaraderie, au fil du temps, s'est transmuée en amitié, puis en complicité fraternelle. À eux trois, ils se sont réinventé un foyer. Une famille. Frère et sœurs, unis dans l'adversité.

Conjuguant leurs efforts, les sens aux aguets, ils inspectent chaque recoin afin de retrouver Justine. Sans grand succès…

Longeant le corridor pentu, ils aperçoivent, un peu plus loin, une flaque de lumière éblouissante. Elle tranche radicalement avec l'aspect sombre de l'endroit. Ils ralentissent leur élan, soupçonneux. D'où peut bien provenir cette luminosité inhabituelle ? Est-ce un piège ? Maxime fait remarquer qu'elle est déversée par l'une des *bouches* grimaçantes qui font office de porte.

D'une voix sèche, il ajoute :

– C'est… ma chambre.

– Allons jeter un coup d'œil, suggère Chanel à voix basse. Soyons sur nos gardes.

Tendus, ils pénètrent dans la pièce. Justine ne s'y trouve pas, mais une surprise de taille les attend. La source de lumière, émise par les rayons du soleil, se répand à flots dans la pièce. Plus étonnant encore, le mur (servant de protection contre les intempéries extérieures) s'est affaissé en un fouillis de planches déglinguées, livrant ainsi le passage notamment au soleil, aux courants d'air, aux perce-oreilles, aux araignées, sans oublier les bestioles de toute forme et de tout acabit.

Désabusé, Maxime braque les yeux sur ce qui a dû composer sa chambre à coucher. Aujourd'hui, il n'y a qu'un lit pliant recouvert d'une couverture crasseuse, flanqué d'une table escamotable sur laquelle repose une boîte de métal auréolé de chiffres romains. Son réveil.

La question de Chanel le tire de ce spectacle lamentable.

– Tu entends ce bruit ?

Une voix fluette s'élève dans le lointain, marmonnante. Est-ce Justine ?

Maxime avance à pas de loup vers la paroi affaissée, évite les planches cloutées. Il penche la tête au dehors, clignote des yeux quelques secondes. Puis, d'un geste brusque, il recule.

– Justine ! dit-il en montrant la brèche dans le mur. Justine est dans le jardin. Mais elle n'est pas seule, Gabriella l'accompagne.

Le visage de Chanel se détend. La peur, toutefois, laisse une trace indélébile dans son regard.

– Dieu merci, elle est saine et sauve ! Vite, allons la chercher !

Maxime acquiesce. Les deux amis profitent des circonstances. Le mur éventré leur offre une voie express vers l'extérieur. Aussi bien en profiter. Chanel passe la première. Avant d'escalader le monticule de planches à son tour, Maxime est attiré par quelque chose. Une couleur qui détonne tant dans ce décor lugubre qu'il ne peut y être indifférent. Est-ce le fruit de son imagination ? Pas le temps d'examiner l'objet de plus près, Chanel l'appelle avec insistance. D'après le timbre de sa voix, sa présence est requise immédiatement. Donnant la priorité à son amie, il range ce détail dans l'un des tiroirs de sa mémoire et espère ne pas l'oublier.

Que fait ce morceau de papier sur le matelas ?

Un papier rouge.

Le piège

DEHORS le paysage s'est mué en un champ de broussailles. Des plantes indésirables ont poussé en désordre. Statues et fontaines sont enguirlandées de mauvaises herbes. Le jardin féerique, qui emplissait Maxime de fierté, s'est évanoui. L'automne, quant à lui, s'est installé effrontément, dépouillant la ramure des arbres dont les feuilles mortes jonchent le sol.

Chassant de leur vue ce décor de désolation, Chanel et Maxime avancent à pas rapides vers leur cadette enfin retrouvée. Soulagement teinté d'anxiété, car ils assistent à une scène déplorable. Justine est plantée là, telle une statue inerte. Malgré l'air frisquet, elle n'est vêtue que d'une simple chemise de nuit, les pieds nus. Le dos courbé, elle ne réagit pas. À ses côtés, Gabriella attend les deux autres pensionnaires, le regard perçant.

— Vilains petits garnements, vous pensiez filer à l'anglaise, dit la mégère d'une voix éplorée, comme si leur départ hâtif lui causait une profonde déception.

Elle est faussement dramatique, fidèle à son habitude. Son visage, plus émacié qu'il ne

149

paraissait dans le passé, est surmonté d'une haute coiffure crépue, blanchâtre, qui évoque une perruque saucissonnée dans une profusion de toiles d'araignée emmêlées.

– Mais non, Gabriella, tu… tu as tout faux ! prétend Chanel. Nous voulions simplement… rentrer à la maison. Tu viens Justine ?

La fillette ne bronche pas. Ne sourcille pas. Les yeux fixes, perdus dans son monde inté-rieur. Inaccessible. Pourquoi ce mutisme ?

– Que lui as-tu fait ? ne peut s'empêcher de questionner Chanel. Pourquoi est-elle amor-phe ? C'est pas normal ça !

La réponse se fait attendre. Le soleil, indif-férent, poursuit son ascension dans le ciel indigo, jetant sur le paysage une lumière bru-tale. Là-bas, la forêt agonise : rangée d'arbres squelettiques, gémissant le triste secret de sa mutation.

Gabriella délaisse son air larmoyant et toise les deux adolescents :

– Elle attend sagement que je la déleste de son *irritante* envie de partir !

Son œil, sévère et cruel, ne dit rien de bon. Les blâmes, que chacun des deux amis meurt d'envie de lui exprimer, doivent s'emmurer au plus profond de leur être, pour ne pas provo-quer l'ensorceleuse. Ils optent donc pour la finesse, en faisant semblant de…

– Justine n'est qu'une enfant, fait valoir Maxime. Si elle souhaite s'en aller, c'est tout simplement parce que ses parents lui manquent.

Son intention est très légitime. Tu peux le comprendre, non?

— L'enfer est pavé de bonnes intentions, mon chéri, remarque l'ensorceleuse d'une voix doucereuse. Celle de Justine me crève le cœur et inspire une horrible influence sur votre comportement. Or, pour assurer docilité et fidélité au sein de ma famille, je me dois d'intervenir. Autrement, l'anarchie s'installera !

— Gabriella, sois raisonnable, insiste Chanel, les enfants que tu gardes ne sont pas... *ta* famille. Ton engagement est de veiller sur eux et, le moment venu, de les ramener à bon port : chez leurs parents. Dans ces conditions, tu n'as pas le droit de retenir Justine contre sa volonté !

— Ma foi, tu as raison. Seulement, vois-tu, la volonté est une faculté chancelante, si... comment dire ? vulnérable, déplore-t-elle d'un geste théâtral. Pauvre petite, elle en est dépourvue par votre faute. Cela m'attriste de la voir ainsi. Pas vous ?

Accusateur, son regard devient brûlant de possessivité. L'ensorceleuse ne cédera pour rien au monde leur liberté. Dans ces yeux de braise, les jeunes voient leur vie s'envoler. Une vie qu'ils espéraient tant réintégrer, désormais inatteignable.

Ébranlée, Chanel veut protester. Mais les mots restent coincés dans sa gorge nouée. Les yeux rivés sur Justine, elle amorce un pas afin de la ramener dans un lieu sécurisant et ranimer la pétulance dans son joli minois, tristement éteint. Mais son intention ne franchit pas le cap du passage à l'acte. Une vive inquiétude s'empare d'elle. Une force extérieure l'agresse, la contraint à demeurer immobile. Horreur! elle est figée sur place! Que faire à présent?

À la recherche d'une solution, elle penche la tête, tâte sa main, frôle sa bague. La bague à tête de dragon. Des images d'une netteté inhabituelle se répandent en elle. Vision d'une autre vie. Hypnotisée par cette projection intérieure, elle s'abandonne à la contemplation.

Un élégant manoir de pierres, entouré d'une clairière verdoyante, se profile dans ses pensées. Elle s'y voit acquérir des connaissances, prodiguer des soins sous la tutelle d'une préceptrice dont elle n'arrive pas à discerner les traits. Qui est cette dame? Un mentor, sans doute. À travers ces images, discerne-t-elle le passé, ou l'avenir? Une vision prophétique? Elle n'y croit pas, n'y croit plus. Pourtant, cet univers fascinant semble l'inviter à l'atteindre, comme si sa destinée était à portée de main.

À voir Chanel, la tête affaissée sur sa poitrine, Maxime croit qu'elle capitule et pressent qu'ils ont foncé tête première dans un piège. Faire semblant, c'est bien beau, mais ça n'arrange pas tout. Pour parfaire l'attrape-nigaud, ses jambes, aussi têtues qu'une mule, ne bougent pas d'un iota. Dans ces conditions, comment faire pour prendre la poudre d'escampette?

N'accordant plus la moindre attention aux deux adolescents statufiés, l'ensorceleuse pousse

Justine vers un bloc de pierre dissimulé sous une montagne de lierre grimpant. Où l'amène-t-elle ? La petite n'oppose aucune résistance et enjambe un rebord. Le garçon cherche à s'orienter. Où sont-ils ? En voyant la fillette, les bras ballants, enfoncer ses pieds nus dans un liquide saturé de feuilles mortes, insensibles au froid, il est saisi de vertige. L'endroit, frais dans ses souvenirs, refait surface : gracieuse sculpture d'amazonite, source cascadant entre les mains d'une ondine, génie de…

L'eau ! Le bassin de la fontaine ! De l'eau… Pourquoi Gabriella a-t-elle choisi cet endroit ? Que mijote-t-elle ? Maxime n'aime pas du tout le sourire malicieux qui illumine son visage. Absorbée, la sorcière extirpe de son corsage une longue chaîne qui retient, enchâssé entre les pattes desséchées d'un corbeau, un cristal lumineux.

« Le pendule maudit ! » pense le garçon avec hargne. Le pouvoir virulent du Verrou mental se loge-t-il à l'intérieur ? S'il pouvait le saisir et le lui arracher, désamorcerait-il leur paralysie ? Les deux pieds rivés au sol, impuissant à agir, il détaille la scène avec une appréhension grandissante.

À demi inclinée au-dessus du bassin, la sorcière marmonne une incantation pendant qu'elle immerge son pendule dans l'eau souillée, qui bouillonne aussitôt. Puis, une onde maléfique déchire le rideau de feuilles, libérant une eau étonnamment pure. Cristalline. À demi rassuré, Maxime remarque que le corps de Justine n'y sombre pas. Auréolée de cheveux mouvants, elle flotte de façon bizarre, sa chemise de nuit oscillant lugubrement au-dessus de la nappe d'eau. Autour d'elle, l'amas de feuilles mortes s'est agglutiné en une frange effilée contre le rebord du bassin. Maxime fronce les sourcils. La surface lisse du liquide se froisse et, à l'instar d'un diaporama, des images translucides y naissent, reflets d'un passé.

Intimement lié à la fillette.

Le cœur du garçon bondit. Grâce à ce visionnement, Gabriella va tout découvrir ! L'entretien qu'ils ont eu avec Falkir, les révélations chocs de Hina, leur plan d'évasion. Tout ! À l'examen de ces comportements *déviants*, que fera l'ensorceleuse pour les ramener sur le chemin obscur de sa domination ? Que va-t-elle décider ? Éradiquer leurs souvenirs ou leur donner une bonne leçon, la tête plongée sous l'eau ? Comme celle qu'elle a infligée à...

Maxime serre les paupières, se force à oublier. Il tente plutôt de se convaincre que Mathieu s'est perdu en forêt, et qu'il n'a pas été assassiné... « Au lieu d'être au bord de ta tombe, essaie donc de trouver un moyen de t'échapper ! » se morigène-t-il intérieurement.

D'accord. Un, il est trop tard pour amadouer l'ensorceleuse. Deux, faire semblant, ça ne marche pas. Alors, que reste-t-il comme alternative ? Mettre le grappin sur le pendule ? Ça, c'est une idée qui a du muscle ! « Oui mais, pour réussir, il faudrait que je puisse me déplacer ! » se dit-il, dépité.

Pendant que Maxime tâche de résister à ce corset de plomb qui le maintient prisonnier, un mot éclate. Si inattendu qu'il écarquille les yeux, saisi d'étonnement. Un mot étrange et discordant, qui lui fait l'effet d'une gifle. Éberlué, se débattant contre ce barrage de granit, Maxime se tourne. Regarde celle qui a eu le toupet de dire ce mot tissé de finasserie, si lourd de sens.

D'une voix posée, à la demande de l'ensorceleuse, Chanel répète son énoncé :

– *Mère...* j'implore ton pardon !

Autour d'eux, le silence s'abat, comme si la forêt, meurtrie, retenait son souffle.

Trahison

— *Mère*, j'ai incarné le rôle de la jeune fille éplorée, perdue, avoue Chanel, afin qu'ils ne se doutent de rien...

Par quelle démence est-elle en train de passer ? se dit Maxime. Elle déraille...

— N'aie crainte, ma loyauté envers toi est intacte. Ils sont rusés, tu sais. Alors, j'ai dû me plier à leur requête.

Gabriella cesse son rituel, pivote et jauge la jeune pensionnaire.

— Vraiment ?

On dirait que son œil de vipère fouille son âme, un imperceptible froncement de sourcils laisse deviner son incrédulité. Chanel s'est-elle convertie à sa supercherie ? Maxime veut se pincer, se réveiller ! Quelle est cette terrible comédie ?

Sous le regard stupéfait du garçon, Chanel propose :

— *Mère*, pourquoi ne pas unir nos forces, toi et moi ? Partir à la chasse, fonder ensemble une grande famille ! Des enfants à volonté et délicieusement à notre merci ! Nous pourrions nous abreuver à même leur vitalité !

Maxime reste bouche bée. Il ne distingue pas les traits de sa jeune amie, debout à côté de lui, mais le ton de sa voix est sans équivoque. Des paroles émises avec une passion effrayante, assoiffées de captures, dépourvues d'humanité. Un revirement spectaculaire.

– Ceux-ci ne valent rien ! crache l'adolescente avec mépris. Débarrasse-toi de ces deux têtes brûlées, avant qu'elles ne t'attirent d'autres embêtements !

Le garçon en a du mal à respirer. La surprise qui l'a envahi cède toute la place à la révolte. La confiance bâtie entre eux s'effrite. L'aisance que la rebelle manifestait en pénétrant dans ce monde inachevé n'était pas le fruit de son imagination, mais une facette cachée de sa personnalité ! Et lui, le naïf, il l'a suivie directement dans la gueule du loup !

– Pour te prouver ma servitude, enchaîne-t-elle, je suis prête à exécuter, selon tes désirs, le châtiment de la désobéissance. De cette façon, tu serais à même de constater que ces *bons à rien* n'ont aucune valeur pour moi.

Maxime, maîtrisant à peine la colère de sa voix, souffle :

– Tu es tombée sur la tête ! Quelle est cette mascarade ?

– Ne vois-tu pas ? réplique-t-elle sur un ton entendu. Lorsqu'on s'évertue à jouer les pantins, il faut savoir tirer ses propres ficelles, sinon on risque de s'y empêtrer.

Qu'est-ce qu'elle raconte ? Lui, un pantin ? Quelle insolente ! Maxime serre les mâchoires et se fait craquer douloureusement les articulations des doigts, étouffant ainsi une autre douleur. Celle du cœur. Comment ose-t-elle prononcer ces insultes ? Les vendre ainsi ? Mais qui est cette fille ? Où diable est la vraie Chanel ? Où est-elle ?

Elle n'existe peut-être plus...

Captivée par cette conduite inattendue, Gabriella délaisse Justine, comme on néglige un jouet devenu monotone. Confinée dans un état d'apesanteur, le visage livide, les yeux grands ouverts, la fillette semble dépouillée de son âme. Mais au fond de ses prunelles hagardes tremblote encore une étincelle de vie. Qui n'échappe pas à Maxime.

Ondulant comme un serpent, Gabriella s'approche de l'adolescente.

– Tu es bien hardie, tout à coup, ma chérie, fait-elle remarquer. Que me vaut l'honneur de tes belles paroles ?

Elle est presque nez à nez avec Chanel. Du haut de sa toque, sous les filaments crayeux, se met à grouiller une forme noirâtre, surexcitée. La jeune fille baisse la tête.

– *Mère*, je... je m'incline devant ta *volonté*, répond-elle, soumise.

– Quelle docilité ! glousse la sorcière, un sourire railleur aux lèvres. J'hésite, cependant, à t'accorder ma confiance. La dernière fois que tu m'as prêté assistance, tu as pratiquement tout fait avorter. Comme lors de ce souper...

Le silence est pesant. Seule la forêt, sous un ciel délavé, chuchote une plainte à peine audible. Maxime, soumis au pouvoir du Verrou mental, n'a le choix que d'écouter, gardant néanmoins un œil attentif sur le pendentif maudit. Dès que la chance se présentera…

— Toutefois, ma plus grande déception remonte à beaucoup plus longtemps.

Elle entreprend de faire le tour de l'adolescente, jouant négligemment avec sa longue chevelure d'ébène.

— Je revois ce lac où naviguait une embarcation à l'intérieur de laquelle se trouvaient deux beaux spécimens, vibrants *d'énergie vitale*. Ils étaient parfaits, ces gamins. Uniques. Les enfants nantis d'un Don, de nos jours, se font d'une telle rareté…, ajoute-t-elle pour elle-même, l'air vaguement irrité.

Dans un soupir d'ennui, elle marque une pause. Du coin de l'œil, Maxime perçoit un mouvement. Son cœur se gonfle d'espoir. Au loin, une ombre se déplace. Furtive. Du renfort?

— Toujours est-il, ma douce Chanel, que l'un des captifs que nous avions ensorcelés, toi et moi, a réussi, à cause de ton insoumission, à s'échapper. Une matinée des plus *inoubliables!* ajoute-t-elle, goguenarde. Car ton talent, si prometteur à l'époque, m'a fait capturer à la place une pauvre source d'énergie, insipide et indomptable (le regard dédaigneux qu'elle décoche à Maxime ne laisse aucun doute sur son identité). Depuis ces outrages, je me suis promis d'attendre avant de t'initier à ton destin, celui de ravisseuse. À ma grande joie, le moment est enfin arrivé !

Chanel, le visage dissimulé par sa crinière, paraît accueillir cette déclaration avec flegme. Toutefois, sa respiration saccadée trahit un tumulte intérieur.

Maxime, ahuri, déglutit à grand-peine, comme si un oursin venait de s'introduire dans son gosier. Cette révélation est pire qu'un cauchemar ! Chanel, une complice ? Une ensorceleuse en devenir ? Il aurait dû s'en douter ! Et cela, dès l'instant où elle lui a raconté cette histoire de noyade. Bourrée de remords, elle a voulu le prévenir.

Stoïque, il ne se laisse pas abattre. Il existe sûrement un moyen de rejoindre ce lac, à nouveau. Avisant Justine, inerte au-dessus du bassin, il projette de la sortir de là aussitôt que le Verrou mental donnera signe de faiblesse. S'il le faut, il se battra jusqu'à son dernier souffle ! Vivement l'issue de secours !

Puis, l'espace d'un pénible instant, sa pensée erre vers son père et sa mère. Les reverra-t-il ? Leur présence lui manque tellement. Reprendra-t-il une vie normale, entouré de ses amis ? Tristement, il songe à Mathieu, ce type disparu : finira-t-il ses jours comme lui ? Noyé ? À ses côtés, Chanel tressaille. Elle se tourne vers lui pour la première fois. Et pose sur le garçon un regard qu'il ne comprend pas. Pourquoi n'y a-t-il pas de la dureté ? De la méchanceté ? Du mépris ? Au lieu de cela, il n'y a que des points d'interrogation… et une peur confuse…

À travers ce désespoir muet, Maxime a l'impression de voir son amie se briser en millier de morceaux, perdue, coincée dans le piège funeste de son destin.

Détournant son regard, Chanel demande, hésitante :

– Mais… comment se fait-il que je n'aie aucun souvenir de ces événements ? Je suis certaine que… je n'ai pas participé à ces rapts d'enfants…

– Voyons, Chanel, l'interrompt Gabriella, l'air contrarié, la mémoire est une faculté facilement malléable. Simple formalité, tu comprends. Quoi qu'il en soit, malgré tes étourderies, je t'aime très fort. D'ailleurs, je n'ai jamais regretté le jour où j'ai décidé de te garder auprès de moi.

– Où m'as-tu trouvée ? Suis-je originaire… de ce lac ?

Une étrange lueur glisse dans le regard de l'ensorceleuse.

– Mais non, mon cœur…

Excédé, Maxime n'écoute plus. À quoi bon connaître les aléas de leur arrivée ? Il n'en a cure ! L'important est de savoir comment s'en sortir ? Reportant son attention sur le pendule, Maxime remarque l'éclat affaibli du cristal. Mieux encore, l'étreinte d'acier qui le retenait prisonnier, quelques minutes plus tôt, perd de son efficacité. À présent, l'ensorceleuse est si

près lui qu'il n'a qu'à étirer le bras pour…
Pourquoi a-t-il encore du mal à bouger ? Si
proche du but.

Soudain, le visage de Gabriella se convulse
en une horrible grimace, quelque part entre la
surprise, l'affolement et le mécontentement. La
clarté environnante s'atténue. Le paysage se
pare d'une teinte glauque, comme si le soleil
s'éteignait. Que se passe-t-il ? Alarmé, Maxime
suit le regard de la mégère.

Elle fixe intensément les doigts de Chanel.

Le maléfice du pendule

LES YEUX de l'ensorceleuse ne sont plus que deux fentes noires et cruelles, fixant la bague à tête de dragon comme si la créature menaçait de lui cracher du feu en plein visage.

– Que fais-tu avec cette BAGUE ? fait-elle avec une colère contenue. Petite futée, tu essaies de me déstabiliser ? Tu t'imagines qu'en me glissant subtilement ce symbole sous le nez, je vais abdiquer. C'est malin de ta part, mais sache que la Sagesse du dragon ne peut rien contre moi ! Où l'as-tu prise ? Tu l'as volée ?

Se tordant nerveusement les doigts, mettant au rancart sa soumission, Chanel répond :

– Ça ne te regarde pas !

Maxime se crispe, épuisé. Ce cauchemar ne finira-t-il jamais ? Toujours prisonnier du Verrou mental, il se sent aussi efficace qu'un morceau de carton. Dans son cœur, des sentiments pêle-mêle font des ricochets : rage, frustration, désespoir, mais surtout, une grande amertume envers Chanel. Il devra songer à fuir sans elle… pas question de s'encombrer d'une… d'une… d'une quoi ? D'une fille à deux visages ?

— Réponds-moi petite sotte ! s'impatiente Gabriella.

— Cesse de la tourmenter ! ordonne durement une voix. C'est moi qui l'ai offerte ! J'espérais ainsi créer un pont vers les souvenirs que tu lui as impunément dérobés.

Maxime relève la tête, soulagé. Enfin du renfort ! La silhouette de Falkir émerge de derrière la fontaine, Justine dans ses bras. Il la dépose délicatement au sol, s'attarde un court instant sur son pâle visage. Puis, sans attendre, il virevolte et s'approche de Gabriella, le pan de sa veste claquant derrière lui. Sa tignasse ébouriffée, couronnant son visage anguleux, lui donne un air de loup. Ses yeux lancent des flammèches. Il s'immobilise, si près de sa sœur, qu'un incoercible mouvement de recul secoue cette dernière.

— Par le sang des ingrats ! Que fais-tu ici, sale vermine ! Tu as réussi à contrer le mauvais sort ? Ooooh ! mais, je vois, tu as bêtement l'intention de te vider de ton sang. Sache que le sang ensorcelé ne s'épuise jamais. Regarde-toi, tu es pitoyable !

— Pas autant que toi !

Inquiet, Maxime remarque une plaie sur l'abdomen de Falkir. Que lui est-il arrivé ? Sa toison zébrée est maculée de sang. S'est-il blessé ? L'homme-rat adresse un clin d'œil au garçon et à la jeune fille, leur signalant que tout va bien. Puis, se retournant vers Gabriella :

— La destinée de ces enfants ne t'appartient pas ! Pas plus que leur vie ! Libère-les !

Pendant un instant, le visage de Gabriella reste de marbre. Puis, d'un ton suave mais rempli d'impertinence, elle déclare :

– Tiens, tiens, tu t'es attribué une nouvelle vocation, Falkir ? Sauveur… Tu ne te plaisais plus en tant que rat ? Pourtant, je considérais que la vie de vermine répondait parfaitement à tes aspirations. Visiter le monde en vagabond, insouciant de ton avenir, libre de tes actions. Bref, une vie exempte de toute responsabilité, sans attache. N'est-ce pas tout cela que te reprochait – comment se nommait-elle déjà ? – Hina ?

Les paroles, projetées comme une flèche empoisonnée en plein cœur, semblent avoir atteint leur cible. Piqué au vif, Falkir arbore un regard noir d'animosité, serre les poings. Ne se laissant pas emporter par une colère naissante, il répond sèchement :

– Je ne suis pas ici pour remuer le passé, mais pour remettre de l'ordre dans ta folie des-tructrice. Dorénavant, je ne fermerai plus les yeux sur tes actes de sorcellerie ! Tu n'as qu'une idée en tête, anéantir la vie d'innocentes victimes au profit de la tienne. À l'avenir, je garderai l'œil ouvert et m'interposerai farouchement. Pour la dernière fois, libère ces enfants ! Tout de suite !

L'ensorceleuse éclate d'un rire hystérique, grotesque, la tête à la renverse. Ce faisant, elle pivote distraitement vers Maxime, expose son pendule bien en vue. Cette fois-ci, il n'a qu'à tendre la main pour l'atteindre. Facile ! Une chance inespérée ! Mais, bien avant qu'il ait le temps d'amorcer son geste, Chanel le devance.

– Nooon ! N'y touche pas ! prévient Falkir.

Trop tard ! Des mains rapides arrachent violemment le cristal du cou de sa propriétaire. Privée de son pendentif, déséquilibrée par l'impact, l'ensorceleuse tombe à la renverse, gesticulant comme une araignée retournée sur le dos. Brandissant bien haut l'objet maléfique, Chanel essaie de le projeter loin d'elle. Sans succès. Sa main, prise de tremblement, ne s'ouvre pas.

Enfin libéré du Verrou mental, Maxime a l'impression de recevoir une formidable décharge électrique. Il tombe à genoux, le souffle coupé, le corps engourdi à cause de l'immobilité prolongée. Au-dessus, des nuages noirs s'amoncellent.

Chanel lève la tête, les pupilles dilatées d'horreur. Ses phalanges, serrées les uns contre les autres, deviennent écarlates. Le pendule s'approprie sa chair, transformant sa main en un morceau de braise incandescent. La douleur, insupportable, lui arrache une plainte déchirante.

D'un mouvement impétueux, Falkir se précipite sur la jeune victime. Écarte brutalement les doigts de l'adolescente, extirpe le pendule mais, dans un faux mouvement, échappe le bijou. Décrivant un arc de cercle dans les airs, la chaîne oscille allégrement, nargue le ciel noirci de ses reflets scintillants.

Rivalisant de vitesse avec l'ensorceleuse, Falkir s'élance, le bras tendu. D'un geste rapide, spontané, sa main griffue se referme sur le pendule. Son dos robuste amortit sa chute tandis qu'il roule à terre. Se redressant sur un coude, ses doigts ravagés de tremblement, il s'écrie :

– FUYEZ ! PENDANT QU'IL EST ENCORE TEMPS !

Au même instant, un cri sinistre retentit, qui donne envie de se boucher les oreilles. Sous le regard pétrifié des deux adolescents, le visage cireux de Gabriella se contracte. Se distend. Prend des formes effroyablement inhumaines. On dirait qu'une horde de créatures arachnéennes écorche ce corps. L'éventre pour s'en extirper. *Cette créature a divers noms, différentes formes,* avait évoqué Hina.

Justine, émergeant de sa torpeur, se met à pousser des hurlements de terreurs.

– NE TRAÎNEZ PAS ! FUYEZ QUE JE VOUS DIS !

Maxime, horrifié, n'a nulle envie de traînailler. Les jambes flageolantes, il part au-devant de Justine. Chanel est déjà agenouillée auprès de la fillette, tâchant de la calmer. Un bref instant, les regards des deux adolescents se croisent, s'affrontent et mesurent leur loyauté. Durement éprouvée, la confiance peut-elle survivre entre eux ? Alentour, le vent enfle, entraînant avec lui des sons qui s'éraillent tel un croassement rauque et précipité. Comme si la nature suppliait de la libérer de sa décadence.

Ne s'autorisant aucune distraction, Maxime détourne son regard, soulève Justine de terre, la dépose sur sa hanche et détale à vive allure. Derrière lui, il entend les pas bondissants de Chanel, les brindilles craquer. Elle s'écrie :

– Maxime ! Ce n'est pas du tout ce que tu crois !

Que lui importe ce qu'il croit ? Son cerveau n'enregistre rien. En réalité, une autre voix résonne douloureusement dans son esprit ; il pense aux paroles blessantes de tout à l'heure. Un affront cuisant… Et si elle cherchait à s'expliquer ? Expliquer quoi ?

La tête nichée dans le cou du garçon, Justine sanglote, apeurée. Incapable de formuler la moindre consolation, le garçon la serre contre lui pour la réconforter, le vent les balaie de nuages de poussière.

– Pou… pou… pourquoi tu laisses tomber Chanel ? demande enfin Justine, de grosses larmes noyant ses joues.

« Pas question de trimballer une traîtresse ! » a-t-il envie de répliquer. Au lieu de cela, il se mord la langue et réfrène son amour-propre. Un pincement au cœur, un doute… En pensée, il revoit le regard confus de Chanel. Son désespoir. S'il faisait erreur ?

L'erreur n'est-elle pas… humaine ?

Sortant de ses réflexions, il s'immobilise, fou d'inquiétude. Où sont-ils ? Le vent a transformé les déchets de feuilles mortes en un tourbillon de lamelles acérées, réduisant la visibilité. Il n'est même pas fichu de trouver son chemin ! Désorienté, il essaye de repérer la veille baraque. La bibliothèque y est à proximité. Forcément, non ?

À moins que tout n'ait été happé par la folie destructrice de Gabriella…

— Par ici ! fait une voix étouffée par le vent.

Faisant volte-face, clignant des yeux, Maxime aperçoit Chanel. Elle lui désigne du doigt quelque chose. À contrecœur, il suit la direction de sa main. Un pan de mur écroulé émerge dans son champ de vision. Les planches crevassées, pêle-mêle, s'ouvrent sur un passage. La paroi affaissée de sa chambre !

Soudain, un éclair aveuglant lézarde le ciel, suivi d'un formidable roulement de tonnerre, glaçant d'effroi les trois jeunes. Lui succède une série de ramifications luminescentes qui dissipent toute couleur, drapant le paysage d'un noir et blanc effrayant. L'ensorceleuse manifeste sa colère !

Falkir tient-il bon ? Difficile de l'apercevoir dans cette tempête. Ses forces faiblissent assurément, dévorées par la violence du pendule. Pas de temps à perdre ! N'écoutant plus que son instinct, Justine toujours dans ses bras, Maxime emboîte le pas à Chanel.

L'attaque

En s'introduisant dans la pièce lugubre, Justine fixe l'autre maison d'un œil méfiant. Les battements de son cœur, si tumultueux soient-ils, n'assourdissent pas le sifflement du vent qui hurle au dehors. Une boule d'angoisse brûle sa poitrine. Elle se force à se concentrer sur ses pieds transis par le froid. N'hésite pas à suivre Chanel et Maxime. Malgré leur présence, elle ne peut réprimer un hoquet de frayeur devant l'incroyable décor qui s'offre à eux.

Justine reconnaît la marque du monstre. La chambre n'est plus qu'un foisonnement de rhizomes terreux. Une lumière bleutée souligne la multitude de courbes disgracieuses, dotées de vrilles. Elles ont l'apparence de lombrics géants contorsionnés, comme pétrifiés dans un ultime effort pour s'arracher des murs. Tout est si immobile, pense la fillette.

Hypocritement immobile.

Pour l'instant…

Prenant soin de contourner les racines saillant du sol, les trois amis s'aventurent dans ce dédale de plantes ligneuses. Leurs pensées battent à l'unisson : aller se réfugier dans la bibliothèque. Si elle existe encore… Pour l'atteindre, toutefois, ils doivent franchir cette maudite pièce !

La main de Justine s'étire jusqu'à celle de Chanel, la serre, raide de frayeur. Un frottement s'élève au-dessus de sa tête. Persistant. S'armant de courage, elle scrute l'entrelacs de racines qui parcourt le plafond. Quelque chose s'y déplace. Une silhouette indistincte se faufile. Elle émet un chuintement sec, fixe deux yeux rouges sur elle…

— Le monstre ATTAAAAQUE ! s'égosille la fillette.

Alarmés par le fracas caractéristique de branches qui craquent, les jeunes se ruent tant bien que mal vers le corridor. Dépassant le seuil, Chanel dérape sur le plancher inégal, manque de se tordre la cheville. Elle jure et jette un regard furtif par-dessus son épaule.

— Maxime ! grogne-t-elle, en le cherchant des yeux.

En découvrant qu'il s'attarde au beau milieu de la pièce, les deux filles demeurent figées de stupeur. Au péril de sa vie, le garçon contourne le lit, évite d'extrême justesse les attaques répétées des racines furieuses, en soulevant le drap élimé, le regard fou. Pourquoi s'expose-t-il ainsi au danger ? A-t-il perdu la raison ? On dirait qu'il cherche quelque chose. Qu'est-ce que ça peut bien être ?

Justine, tremblante de peur à côté de sa grande amie, s'écrie :

— Maxime ! ATTENTION !

Jaillissant du plafond, une longue vrille noueuse s'enroule autour de la taille du garçon, le soulève du sol, resserre son étreinte. Hurlant à réveiller les morts, l'adolescent se débat comme un démon dans l'eau bénite ! Mais ses efforts ne suffisent pas à le sortir de cette geôle tentaculaire.

Ordonnant à Justine de l'attendre, Chanel accourt prêter main-forte à son compagnon. Terrifiée, la petite se recroqueville contre le mur. Son cœur bat la chamade. La crainte de perdre ses deux amis l'oppresse.

En quête d'une arme efficace, Chanel attrape ce qui lui tombe sous la main : une boîte de métal, dont les bords sont coupants. Avec des gestes énergiques et une bravoure qu'elle ne se connaissait pas, elle frappe. Fracasse. Tranche. Encore et encore. La vrille monstrueuse cède, largue sa proie. Tendant les bras, Chanel aide Maxime à s'extirper du piège. Ils s'écroulent ensemble par terre puis se relèvent d'un bond. Ils zigzaguent vers la porte et rejoignent Justine. Main dans la main, le trio longe le corridor à vive allure. La distance qui les sépare de la bibliothèque paraît sans fin.

Lorsque la porte claque enfin derrière eux, un silence enveloppant les accueille. À leurs pieds, figurent des symboles celtiques qu'ils n'ont jamais observés auparavant. D'un vert luminescent, les dessins circulent sur tout le pourtour de la pièce. À n'en pas douter, il s'agit du cercle de protection dont Falkir leur a parlé.

Peu importe la forme repoussante qu'empruntera Gabriella, elle sera contrainte à rester dehors. Bien fait !

Sans délai, Chanel s'occupe de réchauffer Justine. L'enveloppe d'une couverture et, dénichant ses pantoufles en forme d'éléphant poilu, elle les lui enfile. Un sourire reconnaissant s'épanouit sur le visage de la fillette. Satisfaite, mais encore sur ses gardes, Chanel effleure les lieux du regard, pendant que Maxime allume les lampes.

Livres et bêtes mythologiques n'ont pas quitté leur emplacement. Les lampes torchères diffusent une agréable bulle de clarté, laissant dans l'ombre le reste de la salle. Ombre diffuse, d'où émane une grande paix que les deux adolescents remarquent à peine. Trop perturbés. Car la tempête qui fait rage au-dehors s'abat sur leur cœur bouleversé. L'adrénaline, qui sature leur corps, explose :

— Veux-tu bien m'expliquer ce que tu fabriquais dans la chambre ? demande Chanel à l'adresse de Maxime, qui marche de long en large.

— J'avais des affaires à régler, figure-toi, déclare-t-il en brandissant une enveloppe rouge qu'il dépose aussitôt sur une table basse.

— Une lettre ? Je n'en reviens pas ! Tu as risqué ta peau pour un bout de papier !

Le garçon s'immobilise, la respiration précipitée par une colère sourde :

— Vaut mieux risquer sa peau pour un indice que de faire confiance à une traîtresse ! Ma vie,

ou celle de Justine, t'importe peu, que je sache !
Nous ne sommes qu'une source d'énergie bon
marché !

Chanel l'observe, éberluée.

— Dois-je te rappeler ce moment de jubi-
lation pendant lequel tu as failli nous donner en
pâture à cette vipère !

Emmitouflée dans sa couverture, Justine les
dévisage sans comprendre.

Chanel fusille son copain du regard :

— C'est ça la conclusion que tu as tirée des
circonstances ? Pour qui me prends-tu ?

— N'essaie pas de faire ta maligne, riposte-
t-il. Chaque mot manifestait ton désir ardent de
te débarrasser de nous. Ta voix empestait la
corruption !

Confrontation

JUSTINE lève vers sa grande amie un visage atterré. Rempli d'inquiétude. Chanel lui caresse la joue du bout des doigts pour la rassurer. Ce geste lui semble si dérisoire. Puis, se retournant, elle braque sur le garçon deux yeux pâles, au fond desquels brille une lueur d'indignation mêlée de tristesse.

– C'est bien ce que je craignais. Tu n'as rien compris au message que je t'ai lancé.

Inégale, sa voix a perdu de sa dureté, éraillée par la déception.

– Un message, répète Maxime. Quel message ?

– À jouer les pantins, on…

– Tu m'insultes par-dessus le marché !

– Mais non, andouille, j'essaie de te faire comprendre quelque chose ! Écoute, tout ce que j'ai dit n'était que de la frime et, malgré les apparences, je n'ai pas proféré d'insultes ! Au contraire, j'ai tenté désespérément de te transmettre un message. Pour calmer tes doutes. Ne vois-tu pas qu'en lui octroyant le titre de mère, j'éveillais son attention ? J'ai sans doute forcé la note, mais c'était le seul moyen d'enjôler cette fichue sorcière ! D'affaiblir le Verrou mental !

La franchise de ses paroles sonne le garçon. Le message confié lui revient en tête : « *Lorsqu'on s'évertue à jouer les pantins, il faut savoir tirer ses propres ficelles, sinon on risque de s'y empêtrer.* »

Maxime se rembrunit.

– Ne me dis pas que… que tu *jouais* la comédie ?

Chanel hoche la tête.

– Jouer avec le feu, ouais. C'était risqué et téméraire, je l'avoue. Qui sait ce qu'elle aurait pu entreprendre pour m'assujettir davantage. D'un côté, j'ouvrais la porte à sa domination et, de l'autre, je verrouillais celle de ton amitié.

Soufflé, Maxime sent la colère s'envoler d'un coup. Il se remémore les paroles qu'il a lui-même prononcées lors du souper aux chandelles, pour désamorcer la discorde entre Gabriella et Chanel. L'aisance qui a enfiévré ses propos, ce soir-là, l'avait drôlement étonné. Or, à peu de chose près, Chanel a agi de la même manière. Au fond, elle n'a pas eu froid aux yeux, alors que lui, il est un peu honteux de l'admettre, n'y a vu que du feu. Un feu qui consumait le pont de leur amitié…

Respectant le mutisme de son ami, Chanel enchaîne d'une voix douce :

– En réalité, Maxime, le danger tant redouté n'est pas de succomber à des blessures physiques. Mais de sombrer dans la souffrance morale en se mettant à dos les amis qui nous tiennent à cœur. Jouer le grand jeu n'est pas si simple, tu sais.

Maxime se rend compte de sa méprise. Embarrassé, il déclare dans un soupir :

— Voilà pourquoi Hina nous incitait à la prudence. On fait la paix ? ajoute-t-il en esquissant un sourire timide.

Épuisée autant que lui, Chanel lui retourne son sourire. Ils s'enlacent un court instant. Amitié retrouvée. Consolidée. Justine se serre entre eux, rassérénée. Fatigués, ils s'installent dans les fauteuils de cuir rouge, animés d'une détermination renouvelée. Prochaine étape : trouver le passage.

Toutefois, Maxime a encore une question à élucider. Après un moment d'hésitation, il se jette à l'eau :

— Selon toi, quelle est cette histoire de destinée que Gabriella te réserve ?

— J'en sais rien, répond Chanel en haussant les épaules. En tout cas, je ne me vois pas du tout endosser le rôle d'ensorceleuse ! Encore moins d'enlever d'innocentes victimes !

— Que signifie cette complicité entre vous deux, d'abord ? Selon elle, tu es une complice de premier choix. Grâce à ta collaboration, elle peut...

— Ma collaboration ? coupe Chanel, ébranlée. Tu te trompes, Maxime ! Elle se sert de moi, profite de mon don. À ses yeux, je ne suis qu'un appât alléchant, destiné à repérer ses pauvres victimes. C'est révoltant !

En grimaçant, Chanel se penche sur sa main. Maxime se mord la langue, consterné. La douleur qu'il a lue sur le visage de son amie provient-elle des soupçons qu'il a formulés bêtement ? Ou de ses doigts meurtris par le pendule ?

— En effet, l'ensorceleuse abuse de nous, tente-t-il de se raisonner pour se racheter. Ensuite, elle efface toute trace de mémoire indésirable. Mais, étant donné qu'une partie de nous s'oppose farouchement à ce processus, des fragments de souvenirs survivent.

— Bien résumé, dit-elle. Voilà pourquoi les images reliées à Mathieu m'étaient familières, de fait, facilement accessibles.

Chanel ne cesse de se tordre les doigts et de faire tourner sa bague.

— Tu as mal ? s'inquiète Maxime.

— Plus maintenant, dit-elle. Gabriella était vraiment déstabilisée à la vue de cette tête de dragon, comme si elle recelait une menace. Sentant une faiblesse en elle, je suis passée aux actes, sans réfléchir... Si Falkir n'était pas intervenu, eh bien, je ne serais probablement pas là, mon énergie vitale ayant été aspirée par le bijou maléfique. C'était horrible... En se sacrifiant, Falkir nous a épargné le pire. Je me demande si...

Personne n'ose aborder le sujet funeste. Falkir est-il mort ? Le silence s'allie à leurs doutes, comme une promesse d'espoir, et préserve en eux le souvenir vivant d'un être excep-

tionnel. Auront-ils jamais la chance de le revoir ?
De le remercier ?

– J'ai peur, articule Justine. Si nous partions d'ici.

Chanel la prend dans ses bras, lui souffle des mots apaisants au creux de l'oreille. Maxime lui caresse gentiment les cheveux et lance :

– C'est une excellente idée ! Il est grand temps de rentrer à la maison ! Que dirais-tu de chercher avec nous le passage… magique ?

Maxime échange un clin d'œil complice avec Chanel. Au mot magique, Justine s'est redressée, les yeux pétillants.

Assis l'un en face de l'autre, ils énumèrent les trois passages potentiels : le miroir mural, l'armoire aux lourds battants ainsi que le meuble antique.

Lequel choisir ?

Lequel s'avérera être la porte de sortie ?

Le passage

Debout, l'un à côté de l'autre, ils affichent tous la même expression. Ahuris, la bouche à demi ouverte, comme s'ils avaient vu défiler une procession de fantômes.

– C'est bizarre... fait Justine. Il me semble que ce miroir n'était pas là avant.

– Si, il y était, confirme Chanel. Seulement, il n'était pas aussi... magnifique !

Tous les trois contemplent avec admiration le miroir mural. Les audacieuses sculptures qui en façonnent le cadre leur font pratiquement oublier l'aspect dépouillé qu'il avait autrefois. Ornés de dorures, nénuphars et lis d'eau s'entrelacent, dominés par un cygne aux ailes déployées. Le cou recourbé, le palmipède se mire gracieusement dans la glace.

Maxime s'approche du miroir, curieux. Tend le bras vers la glace, comme s'il avait l'intention d'y plonger la main, mais se ravise.

– C'est fascinant ! constate Chanel en s'inclinant. La surface du miroir semble liquide.

– Oui. Vaut mieux éviter d'y toucher, affirme Maxime, prudent. On ne sait pas ce qui se trame là-dessous.

Intriguée, Chanel se dirige vers le meuble antique, sur lequel repose une bande de diablotins hilares. Un pressentiment s'insinue en elle. Maxime et Justine lui emboîtent le pas. C'est bien ce qu'elle pensait : le carreau de vitre, faisant office de porte, est remplacé par un vitrail représentant une déesse.

Emportés par leur curiosité, ils terminent l'exploration devant le troisième passage possible, le meuble aux lourds battants. Il est tout aussi métamorphosé : sur la surface de la porte, le symbole d'un pommier est finement ciselé. Racines dénudées et feuillage luxuriant composent l'œuvre.

– Comment ça se fait que tout soit changé ici ? s'exclame Maxime, en zieutant d'un œil torve le griffon qui couronne le meuble antique.

– Notre vue se rétablit entièrement, décrète Justine. Logique, non ?

– Génial ! fait Maxime d'un air cynique, dont lui seul connaît le secret. Notre vue est meilleure, mais on ne voit pas plus clair dans cette affaire !

– Ça nous prendrait un indice, suggère Justine.

Chanel se tourne vivement vers Maxime.

– La lettre ! Tu disais qu'elle contient un indice. Qu'est-ce que c'est, au juste ?

– Je ne sais pas, attends.

Fébrile, il prend l'enveloppe déposée sur la table, en retire la lettre et lit à voix haute son contenu :

Explorez les racines du M'alice.
À rebours, nul ne peut s'aventurer sans la clé ailée.
Toutefois, prenez garde à la folie des miroirs.
Ces derniers franchis, plongez vers votre liberté.

— Bonté divine, Maxime, c'est toi qui as pondu cette énigme?

— Heu… ben non, dit-il en haussant les épaules. Ça va te paraître bizarre, mais j'ai rêvé que je réclamais cette lettre à une bonne femme toute ratatinée. Drôle de rêve, hein? Enfin, bon… D'après toi, qu'est-ce que cela veut dire? C'est tout de même obscur, comme indice.

— Fais voir.

En remettant la lettre à Chanel, un tintement résonne sur le plancher de marbre. Un objet est tombé de l'enveloppe. Justine le ramasse. Entre ses doigts brille un minuscule cygne en laiton. Trois paires d'yeux s'interrogent du regard.

— Au risque de passer pour un idiot, confesse Maxime, quelqu'un a-t-il une idée de l'utilité de cette chose?

— C'est peut-être une clé, risque Justine en faisant miroiter l'objet dans sa main. Une clé… ailée.

Chanel hoche la tête:

— On ne peut nier la similitude frappante entre cette clé en forme de cygne et son double, magnifiquement reproduit sur le miroir.

— Les deux spécimens ont des ailes, fait remarquer la cadette.

– D'accord pour que ce soit une clé, con-cède Maxime. Mais le lien s'arrête là. Ne négligeons pas la troisième consigne, elle nous met en garde contre la folie des miroirs. Déduction : restons-en loin !

– Bien vu, dit Chanel. Il ne nous reste plus que deux choix. Lequel est le bon ?

Un long silence succède à cette réflexion. Leur esprit est perdu dans les méandres de l'énigme à résoudre. Où se dissimule le passage ? Derrière le vitrail ou la porte finement ciselée ? Soudain, à l'instar d'une personne qui a retenu sa respiration pendant tout ce temps, Chanel s'écrie :

– Eurêka ! J'ai trouvé !

Justine et Maxime sursautent. Sans mot dire, ils la fixent, avides de savoir.

– Le passage est situé derrière la porte de mon ancien garde-manger, enchaîne-t-elle, le visage rayonnant. Maxime, rappelle-toi les paroles de Hina : *passage gravé entre les connaissances.* Il se trouve que l'arbre finement ciselé sur cette porte est un M'alice, c'est un Arbre voyageur.

– Comment le sais-tu ? demande-t-il, interloqué.

Chanel hésite un instant, méditative.

– Sans doute une information oubliée, avoue-t-elle. Mais je me rappelle avoir aperçu un titre similaire sur l'un des bouquins de la bibliothèque.

À l'évidence, ils approchent du but. Afin d'y voir plus clair, Maxime reprend la lettre. Pendant que Chanel, animée d'une curiosité dévorante, inspecte les parois de l'armoire, il récite la première phrase de l'énigme.

– *Explorez les racines du M'alice.* Autrement dit, le pommier sculpté sur la porte de l'armoire serait un M'alice. Une porte qui donne vraisemblablement accès à notre monde. Toutefois, *à rebours, nul ne peut s'y aventurer,* ajoute-t-il songeur. Ainsi, pour parcourir le passage, à savoir voyager en sens inverse, il nous faut une clé.

– Une clé *ailée,* ne l'oublie pas, précise Justine en faisant planer l'oiseau dans les airs.

– Chanel, tu crois vraiment que c'est notre passage ? demande-t-il.

– J'en suis certaine !

En manipulant la clé, qui a plutôt l'apparence d'un colifichet perdu, les enfants commencent à perdre confiance. La porte n'ayant ni poignée ni serrure, ils ne peuvent y enfoncer la clé. Ils ont beau toucher, palper, explorer les courbes du bois, rien n'y fait.

Pour ajouter à la tension, un grondement confus s'élève au dehors, emplissant d'angoisse le cœur des jeunes. Gabriella rôde-t-elle dans les parages ? Au fond, ils ne savent pas ce qui est advenu de l'ensorceleuse. Leur seule certitude, c'est qu'elle ne peut franchir le cercle de protection. Mais quand même…

Comme Chanel est sur le point de s'avouer vaincue, ayant abandonné l'hypothèse de l'Arbre voyageur, quelque chose se produit. Avec le doigté d'une fée, Justine a décelé une alvéole aménagée sur la rondeur de l'une des pommes sculptées. La clé s'y insère parfaitement, déployant ainsi les ailes de l'oiseau. Ont-ils découvert le passage ?

Malgré leur tentative, ils ne parviennent pas à déverrouiller la porte.

Soudain, un tremblement monte du sol, fait vibrer l'armoire. Épaule contre épaule, dans un bruit de raclement, ils regardent ébahis le meuble s'éloigner d'eux. Dans son déplacement, il libère une grande ouverture à sa base, puis s'immobilise. D'un pas hésitant, les trois amis se penchent sur le plancher béant. À travers le trou, ils distinguent un escalier taillé dans le roc qui s'enfonce dans la profondeur du sol. Leurs regards se croisent. Lueur d'espoir. De soulagement. L'ouverture exhale un souffle froid et humide.

Un à un, ils pénètrent dans les profondeurs de la terre. Malgré l'évidence du passage, Chanel a un doute. Une méfiance qu'elle ne peut expliquer. Elle préfère ne rien communiquer à ses amis, afin de ne pas les alarmer inutilement.

Le trio progresse dans un long couloir exigu, aux parois rocheuses, faiblement éclairées par un liséré de symboles luminescents qui rappelle le cercle de protection. Après un bon moment de marche, les parois s'évasent en un couloir de bonne dimension.

À présent, les trois amis peuvent marcher sans se cogner les coudes. Rapidement, les symboles lumineux deviennent sporadiques, puis disparaissent. Un lustre suspendu, digne des salles de réception, prend la relève de l'éclairage. Le plafond s'élève si haut, qu'il s'évanouit dans l'obscurité, donnant l'étrange impression que le lustre flotte dans le vide.

Au bout du couloir, une porte close. S'agit-il de l'ouvrir pour accéder à leur liberté ?

⚜

CHANEL

En m'approchant de la porte, j'éprouve un vague sentiment de déjà vu. Cette obscurité, ce lieu clos, me rappelle quelque chose. Me donne froid dans le dos. Peut-être est-ce ma camisole qui échoue lamentablement à me tenir au chaud. Et que dire de tous ces cadres ? Les murs, dressés étroitement de chaque côté de la porte, foisonnent d'encadrements vides. Dégarnies, les bordures de bois aux styles variés s'ouvrent sur les aspérités du roc, à croire qu'elles attendent patiemment la venue d'œuvres d'art.

Pourquoi suspendre des cadres privés de tableau à cet endroit précis ? Pourquoi leur vue me remplit-elle d'appréhension ? Allons, à quoi bon s'en préoccuper ? D'ailleurs, le monde que nous quittons est rempli d'objets insolites.

L'important est de franchir cette porte !

Enthousiasmés, nous nous dirigeons vers la sortie. Un vent d'espoir se lève en nous. Néanmoins, nos pas ralentissent. Nos regards se promènent sur la panoplie de cadres, comme attirés. Par quoi ? La fascination que suscitent ces châssis déserts amplifie mes doutes... Quelle est la troisième consigne déjà ? Voulant poser la question à Maxime, je lui rentre dedans.

Le regard perdu, il s'est immobilisé. Que lui arrive-t-il ? Je lui tapote l'épaule. Il lève les bras, porte les mains à son visage. Il ausculte ses traits d'un geste maladroit, presque empreint de crainte. Rapidement, ses yeux s'agrandissent d'horreur.

Que discerne-t-il ? Aucun reflet n'est pourtant visible, là où s'accroche son regard. Rien du tout ! C'est fou, mais on dirait qu'il ne se reconnaît plus !

Un ordre monte de mes entrailles. Impératif ! *Ne pas regarder... Partir...*

Mais, j'en suis incapable. La fascination me cloue sur place et me force à examiner ces cadres vides... ce mur rocailleux...

Ne pas regarder... Partir...

Je tente de résister... sans succès...

Soudain, la stupeur me frappe de plein fouet ! Car le détail du roc que je fixe se mue en miroir, réfléchissant non pas ma propre personne, mais un autre moi. Une créature étrangement familière m'apparaît :

Alors, je le vois. Ce visage. Ce regard farouche. Ces yeux remplis d'une détresse sans nom. On dirait une parodie atroce d'un visage mi-humain, mi-animal. Plus je détaille la créature, plus les traits qui l'apparentent à un être humain disparaissent pour se fondre en une bête sauvage.

Est-ce mon reflet ?

Bouleversée, je m'effondre au sol, le visage enfoui entre les mains. Je reconnais ce visage repoussant... ce lieu sombre... Je l'ai visité en pensée, par l'entremise du papier trouvé par Maxime. Mais ce qui me trouble tant, c'est que je suis déjà passée par ici, physiquement. J'en garde un souvenir indélébile.

Ne pas regarder... Partir...

Comment est-ce possible ? Ai-je arpenté ce couloir souterrain, errant dans la nuit ? Est-ce moi, l'horrible créature qui a rédigé cette note indésirable, intimant à Maxime l'ordre de partir ? Parce que j'étais inconfortable en sa présence ? Tellement intimidée... Qui suis-je ?

Un monstre...

Je lutte contre cette idée absurde.

Ne pas regarder... Partir...

Dans ma tête, je revois l'ensorceleuse, ses yeux exorbités sur ma bague, appréhendant une menace de ma part, qu'elle devinait imminente. Elle avait peur, redoutant la Sagesse du dragon. Quel est donc le sens caché de cet énoncé ? Une force latente, insidieuse et qui dort au fond de moi, me transformant en une créature sauvage la nuit venue ? Au moment opportun. Est-ce vraiment cela la Sagesse du dragon ?

Une autre réponse gronde dans mon for intérieur. Lointaine. Une vérité que je n'entends pas, car la confusion se profile dans mon cœur dévasté. L'environnement autour de moi se dissout. Je perds contact... Des pas résonnent... La voix de ma conscience, quelque part dans mon crâne, devient insistante.

Ne pas regarder... Partir...

– Maxime... nous devons rebrousser chemin, dis-je. Éloignons-nous d'ici... Justine ? Où es-tu ? Je ne te vois plus...

Personne ne me répond. Je suis si engourdie... À mes côtés, je perçois le désarroi de Maxime. Son cri de détresse se rallie au mien. Son questionnement devient le mien : pourquoi songer à partir puisque nous n'inspirerons plus que dégoût et horreur ?

L'être humain en nous ayant déserté notre corps... qui osera nous regarder en face sans afficher crainte et mépris...

Puis, une autre voix, haute et distincte, s'ajoute à celle de mon esprit :

– Ne vous fiez pas à ce reflet... Il est faussé... Venez...

Je sens à peine les mains qui me soulèvent et me transportent.

Éclaircissement

E N PRENANT place sur un large banc au dossier démesurément haut, les trois jeunes se remettent de leurs émotions. Comme ils partagent la même couverture, ils se réchauffent, se soutiennent mutuellement. Étourdis par leurs récentes mésaventures, c'est un œil hagard qu'ils promènent autour d'eux. L'endroit paraît immense. Surtout en hauteur...

Au-dessus de leur tête, des torsades de tiges aériennes s'élèvent, telle une broderie modelant un plafond conique. Il évoque curieusement l'intérieur d'un chapeau de sorcière. Sur la cambrure de la paroi ajourée miroitent des lamelles d'un éclat verdâtre. Où sont-ils, exactement ? Pas le temps d'approfondir davantage. Un bruit de bottes et de cliquetis martèle le sol. Une silhouette s'accroupit auprès d'eux, les embrasse du regard.

Falkir ! Il est bien vivant !

Sa présence les réconforte. Détourne, temporairement, leurs pensées des mirages horrifiques provoqués par les cadres. Mais elle ne change en rien leur intention de quitter ce monde. De rejoindre leurs proches.

Étonné, Falkir leur demande comment ils ont réussi à découvrir le passage secret qui mène à la source de l'Arbre voyageur, l'endroit mystérieux où ils se sont réfugiés. Brièvement, les adolescents racontent l'indice obtenu de Hina et les informations fournies par l'énigme. Avec l'aide de la clé ailée, bien sûr. Falkir observe avec grand intérêt la lettre que lui tend Maxime et pose sur le garçon un regard empreint de respect.

– Voyager dans le Royaume des rêves est une faculté que très peu d'entre nous possèdent.

– Bof, je n'en retire aucun bénéfice, répond-il en rangeant la lettre, mal à l'aise. La majeure partie du temps, je navigue en plein cauchemar.

Puis, la conversation s'oriente vers d'autres sujets. À la grande satisfaction des enfants, ils apprennent que le pouvoir de l'ensorceleuse a disparu : son pendule n'étant plus qu'un morceau de charbon. Falkir lève fièrement sa main griffue, où pendouille une vieille breloque fumante. Il explique qu'en lui infligeant un sortilège de Vengeance, inoculant en lui du sang animal, sa sœur l'a protégé, sans le savoir, contre la force létale du pendule.

Maxime fixe, stupéfait, l'abdomen de l'homme-rat. Là où la chair était à vif, maculée de sang, ne reste plus qu'une cicatrice fraîche. Trace fugace d'un combat. Guérison fulgurante ? Miraculeuse ? Ou les deux ?

Devant l'air médusé du garçon, Falkir décide d'éclaircir un peu la situation :

– En m'infligeant de profondes blessures, lacérant ma chair au sang, je me libère et délivre mon corps de ce liquide souillé par le sortilège de Vengeance. Ainsi, je retrouve graduellement une apparence quelque peu humaine. Toutefois la rapidité de ma cicatrisation ne m'offre que de brèves délivrances…

Sa phrase demeure en suspens, tandis que son regard s'assombrit, perdu dans un passé ténébreux. Les enfants n'osent le torpiller de questions. Tant de mystères soulèvent ce témoignage. Puis, ses yeux d'acier s'illuminent :

– Tout est à rebâtir à présent, déclare-t-il dans un soupir d'aise. L'échoppe du Voyageur pourra enfin reprendre ses activités, il n'y manque que Hina et la relève…

Pendant un instant, Chanel a l'impression que cette déclaration lui est adressée personnellement. Ou est-ce la profondeur de son regard qui la déstabilise ? Fascinée par cet être complexe. Néanmoins, des questions se bousculent en elle comme un ultime effort pour comprendre. Pour élucider la confusion qui s'est installée dans sa tête depuis qu'elle a dévisagé ce monstre…

La jeune fille lui demande d'une voix dont elle peine à dominer les tremblements :

– Falkir, que nous est-il arrivé là-bas, dans ce couloir ? À travers ces cadres vides… nous avons aperçu…

– Un visage à glacer le sang ! complète Maxime. Moi, j'ai eu la sensation de vivre un vrai cauchemar !

Justine, blottie contre ses amis, s'est assoupie. Chanel ajoute à voix basse :

– Comme si nous avions été à la merci d'une force occulte ! Nous balançant au visage un reflet qui n'avait plus rien d'humain ! C'était hallucinant !

Un aveu brutal. Spontané. Chanel se sent tout à coup embarrassée. Leur ami n'a-t-il pas été lui-même banni de cette espèce ? Son anatomie ravalée au rang de rongeur.

Falkir ne s'en offusque pas. Il incline la tête, ébauche un sourire, des pommettes saillantes soulignant son regard énigmatique. Animal.

– Ce ne sont pas des cadres ordinaires, précise-t-il. En réalité, vous étiez obnubilés par la Folie des miroirs. Justine s'est faufilée à quatre pattes, évitant l'attraction implacable. Elle est rusée, la petite. Sachez toutefois que ces miroirs en ont dupé plus d'un !

– Tu parles ! laisse tomber Maxime, morose. On a bien failli perdre la boule ! Encore de la sorcellerie, je te parie.

– Un envoûtement de Sécurité, le corrige Falkir. Le principe en est simple : un esprit élémental, emprisonné dans le roc, est chargé d'effrayer les intrus. Une incantation, formulée depuis si longtemps, qu'on ne connaît même plus son origine. Il faudra bien, un jour, s'en débarrasser, rajoute-t-il pensif.

– Sorcellerie, envoûtement, selon moi, c'est du pareil au même, s'entête Maxime. Je ne comprends pas. Pourquoi avais-je cette désagréable impression de déjà vu ? Je veux dire, ce couloir ne m'est pas entièrement inconnu. Bizarre, non ?

— Pas vraiment, fait Falkir en hochant la tête. Voyez-vous, ici, nous sommes au cœur de l'Arbre voyageur. Un lieu sacré, où mille chemins permettent d'accéder à d'autres mondes. Au moyen du Verrou mental, l'ensorceleuse a bloqué son accessibilité, ne l'empruntant que pour son usage personnel. Il y a fort à parier que lors de ta capture, Maxime, tu as tenté de lui échapper. Ne connaissant pas le chemin du retour, tu t'es retrouvé par inadvertance dans cette partie du couloir envoûtée par la Folie des miroirs. Cette familière impression provient sans doute d'une ancienne mémoire.

Une mémoire que l'ensorceleuse a pris soin de me subtiliser, songe Maxime avec aigreur. Des souvenirs se précisent, étoffent son passé… Il se revoit grimper à un arbre. Colossal. Le grand chêne au fond du jardin ! Au risque de se rompre le cou, il escalade les branches, assoiffé de liberté… Scènes chaotiques d'une fuite impossible et qui le hantent depuis sa captivité, peuplent ses nuits de cauchemars : fuir, à tout prix, ce monde qui n'est pas le sien !

Ainsi, ce sentiment de déjà vu, intimement lié à ses perpétuels cauchemars, prend tout son sens. Soumis à l'oubli, son subconscient lui transmettait, nuit après nuit, une scène à demi effacée. Le suppliait de se rappeler.

Pour Chanel, son Don ne l'a pas trompée. Elle a clairement perçu ce souvenir, le jour où

Maxime lui a tendu ce bout de papier. Le cauchemar, imprégné dans les fibres du document, a fusé en elle. Irrésistible.

Toutefois, un doute la taraude. Le couloir lui est certes familier, mais la raison en demeure mystérieuse. Inexplicable.

Pourquoi ?

La sagesse du dragon

– En somme, ce que nous avons observé sur ce mur envoûté, d'un réalisme bouleversant, n'était pas notre reflet, conclut Chanel. Mais, une sorte d'illusion, c'est bien ça ?

– Exact, confirme Falkir.

Pourtant, la mutation que la jeune fille a ressentie ne la quitte pas entièrement. À croire qu'une partie de son corps est altérée. À jamais modifiée. Pourquoi ce sentiment ? Le besoin de savoir se fait grandissant. Viscéral. Sans hésitation, elle lève la main, brandit sa bague et pose une question qui la hante depuis un moment :

– Que signifie la sagesse du dragon ? Quelle est la symbolique de cette bague ? Gabriella semblait la redouter plus que tout.

Falkir soulève un sourcil broussailleux, ravi d'apprendre que sa sœur, malgré son invincible façade, ait pu manifester une once de peur.

– Cette sagesse découle d'une vieille légende… Dans les faits, elle représente la ténacité, la loyauté et le souhait de poursuivre l'œuvre entamée par son prédécesseur. Hina était l'ancienne propriétaire de la bague. Elle avait sollicité diverses communautés afin d'attirer le candidat potentiel pour la relayer dans ses tâches. Diriger et exploiter l'Échoppe du voyageur. Évidemment, l'irruption de l'ensorceleuse a tout fait basculer...

Un silence tacite s'établit. La luminosité de l'endroit devient soudain irréelle. Une auréole vert émeraude éclaire la crinière de l'homme-rat, telle une série de pics fluorescents chevauchant sa tête.

Falkir enchaîne :

– La bague, offerte en gage de fidélité, représente aussi la connaissance laissée en héritage. Or, l'apprenti qui détient la marque du dragon, symbolisé par la bague, est nanti d'une volonté irréductible : reprendre le flambeau et faire en sorte qu'ordre et harmonie se rétablissent. Gabriella appréhendait la venue de ce nouveau successeur : de celui, ou de celle, qui reviendrait en force pour mieux la détrôner. Pour vaincre l'ennemie sournoise qu'elle incarne. Et prendre la relève selon les souhaits de Hina.

La relève ? Revenir en force ? Vaincre l'ennemi ? Chanel n'a rien accompli de tout cela. Ne s'estimant pas à la hauteur, elle enlève la bague et la remet à Falkir.

– Cette bague ne m'appartient pas, dit-elle humblement, presque à regret. L'énergie qui émane d'elle provient de Hina.

Au creux de sa main d'homme, Falkir accueille le bijou. Pendant un bref moment, il scrute l'anneau d'argent, contemple les deux crêtes osseuses de la fabuleuse créature. En dépit de sa petite taille, une impressionnante beauté se dégage du dragon. Puis, plongeant son regard dans celui de la jeune fille, Falkir déclare :

– Je suis certain que Hina aurait été fière de te léguer cette bague.

Émue, Chanel baisse les yeux. Maxime devine que cette confidence ne la laisse pas indifférente. Au contraire. On dirait qu'une force tranquille déferle en elle. Que se passe-t-il ? L'ombre de l'oubli est-il fracassé ?

Libéré de sa noirceur…

Maxime se rend compte, pour la première fois, que son amie a changé. Sa perception toutefois demeure confuse. Est-ce sa peau ? Ses yeux ? Ou bien la magie de l'endroit qui altère sa vision ?

Sans crier gare, les traits de Falkir se diffusent, deviennent d'une pâleur translucide. En vérité, son affranchissement tire à sa fin. Dans un rictus, il déclare :

– L'heure est venue, pour vous, de partir.

Sur ce, l'homme-rat se redresse, rabat le pan de sa veste derrière lui et dégage la vue des jeunes. La luminosité inusitée de l'endroit leur est révélée. À trois mètres d'eux, ceinturés d'un quai rocheux, miroite une marre chatoyante. Au-dessus de l'eau, une multitude de rubans lumineux vert émeraude se disperse dans la grotte.

Au même instant, Justine se réveille. Impressionnée, elle se blottit contre Maxime.

– Vous n'avez plus qu'à entreprendre la dernière étape de votre voyage, indique Falkir en les invitant à le suivre. Plongez vers votre liberté, comme le stipule si bien l'énigme.

Le groupe avance, des reflets bleu-vert ondulant sur leurs visages. La mare brille de manière étrange, comme si un minisoleil vert y était submergé. Les jeunes observent, d'un œil incrédule, le chemin qui les ramènera chez eux, en passant par la nappe d'eau.

Tandis qu'une pointe d'effroi s'insinue dans leur poitrine, une pression amicale serre l'épaule de Maxime et celle de Justine, mais s'affaiblit aussitôt. Le corps de Falkir perd de sa densité.

– Soyez sans crainte. La traversée est de courte durée, à peine le temps d'une respiration pour que chacun de vous puisse regagner son monde respectif…

Sans plus de cérémonie, l'homme-rat disparaît dans un tourbillon d'étincelles, laissant les trois amis face à leur destin.

Le retour est imminent. Par conséquent, l'idée d'emprunter cette marre phosphorescente ne les rassure pas du tout.

Des regards sont échangés. Des mains pressées. Des larmes refoulées. Personne n'arrive à crier de joie, à parler. Justine est la première à rompre le silence. Elle parle si bas, qu'on croirait le souffle délicat du vent.

– Même si j'ai du mal à me rappeler maman et papa, je m'ennuie d'eux. Croyez-vous que…

que lorsque je les reverrai, ils… ils se souviendront de moi?

Une inquiétude légitime, cruelle, et qu'aucun des jeunes n'a encore osé aborder de peur de souffrir. Qu'arrivera-t-il une fois rendus là-bas, dans leur monde? La mémoire leur reviendra-t-elle? Intégrale? Inviolée? Fortifiée des précieux souvenirs reliés à leurs parents. Ces derniers ont-ils été victimes, eux aussi, d'une perte de mémoire ; l'ensorceleuse jouant de diablerie pour arriver à ses fins?

Nul ne le sait. Seul l'avenir le leur dira…

— Je suis certaine que tes parents ne t'ont pas oubliée, ma puce, la réconforte Chanel. L'amour qu'ils portent dans leur cœur ne s'efface pas. Peu importe le sortilège!

Maxime serre la main de la fillette contre la sienne, la secoue avec affection.

— Tu dois te montrer courageuse à présent. Je compte sur toi pour nous accompagner, d'accord?

Elle opine, fait un effort surhumain pour se montrer brave. Maxime se retourne vers Chanel. Il fronce les sourcils. Pourquoi son amie reste-t-elle à l'écart? Au creux de ses yeux, il distingue de la tristesse, doublée d'une farouche détermination. Que se passe-t-il?

Son cœur tressaille, tandis que la réponse monte en lui.

Il sait à présent ce qu'elle a de changé.

Ses yeux abritent l'azur du ciel. Sa peau, le satiné de la soie. Sa prestance dévoile le mystère

de son origine. Une origine tellement insoupçonnée que Maxime peine à le croire. Pourtant,
un dernier détail vient balayer son incrédulité.

Au travers sa longue chevelure d'ébène, de
longues oreilles se frayent un passage.

Gracieuses.

Effilées.

C'est le trait caractéristique des Elfes…

Maxime attend que sa gorge se dénoue pour
parler, mais le temps semble insuffisant. D'une
voix rauque, il articule :

– Tu ne viens pas avec nous, n'est-ce pas ?

– Non… C'est ici que nos chemins se
séparent.

Bouleversée par la nouvelle, Justine se jette
dans les bras de Chanel. Doucement, la jeune
elfe lui essuie une larme, panse son chagrin en
lui murmurant des paroles bienveillantes.

Geste doux. Caressant. Impérissable.

« La vie est parfois injuste », pense Maxime
en serrant les dents. L'aventure vous accorde
une amie, une alliée que vous pensiez éternelle,
et vous l'enlève une fois que tout est terminé.
Une amie dont la destinée diffère de la sienne.
Tracée en marge du monde.

Maxime lorgne la bague un bref instant,
prenant conscience de la situation.

– C'est à cause de la sagesse du dragon
qu'elle recèle, déclare-t-il. Au fond, c'est toi
l'élue.

– Petit futé, on ne peut rien te cacher,
tente-t-elle de blaguer, désinvolte.

Mais le jeu ne lui convient pas. Le trémolo de sa voix dénote le regret de ne pouvoir les accompagner. « Ses yeux n'en sont que plus magnifiques », note le garçon.

— Mon destin est lié à ce monde, poursuit-elle, je le comprends maintenant. Cette bague a bel et bien une importance dans ma vie. Elle me permet de renouer avec mon passé, de redécouvrir mes racines elfiques et me propulse là où je suis appelée à prendre la relève. Je suis prête à l'assumer, même si l'inconnu me terrifie.

— Tu n'auras qu'à suivre les traces de Hina, dit Maxime pour l'encourager. Tu as là quelqu'un digne de confiance.

— Avant tout, je me dois de la retrouver, souligne Chanel. Avec l'assistance de Falkir, bien sûr.

— En effet. Un brave type, ce Falkir. Tu es entre bonnes mains.

Pendant un long moment, ils se regardent, silencieux. Puis, dans un dernier câlin, Justine serre très fort sa sœur d'adoption. L'air résolu, elle revient vers Maxime, qui lui adresse un sourire.

— Est-ce que nous te reverrons un jour, Chanel ? demande le garçon.

— Je ne sais pas. Mais tu as un Don qui donne droit d'espérer. Voyager dans le Royaume des rêves.

— Ça, un Don ? Tu rigoles ! Je suis aussi doué qu'un pauvre chausson volant !

Chanel s'esclaffe. Un éclat de rire cristallin qui devrait réchauffer le cœur de Maxime. À la place, une étrange douleur lui déchire la poitrine. « Respire, Max, ça va passer », se dit-il.

Tour à tour, ils s'enlacent avec affection, se souhaitent bonne chance et se disent adieu.

– Ce n'est qu'un au revoir, murmure Maxime.

Puis, la main dans la main, le cœur battant la chamade, Maxime et Justine s'élancent vers la mare miroitante. Soudain, un flot de pensées pessimistes les envahit. Avant de toucher la surface de l'eau, une voix retentit dans leur tête.

Une voix que Maxime reconnaît, celle de Hina :

– Soyez confiants, mes amis, tout se passera bien. J'ai annoncé votre arrivée. Vous n'êtes plus seuls…

Quelque part dans l'autre monde

– **M**AMAN ! Réveille-toi ! Cette fois-ci, le message est clair, il faut y aller ! Habille-toi, ça urge !

En ouvrant l'œil, la première pensée qui traverse l'esprit de Norma Richer est que son fils fait une crise. Une rechute ? Tout allait si bien... Elle devra lui parler calmement, l'apaiser, comme elle l'a si souvent fait aux cours des derniers mois. Depuis la disparition tragique de son meilleur ami, Maxime. Un drame qui n'a jamais été entièrement élucidé et qui a accablé la famille du disparu d'un profond chagrin. Perdre toute trace de son enfant est une douleur que Norma n'aurait pu supporter.

La vie a été généreuse pour elle. Elle ne lui a pas volé physiquement son fils. Néanmoins, elle l'a tourmenté autrement et lui a longtemps fait entendre des voix dans la nuit. Comme si la folle du logis s'amusait à lui chuchoter de drôles d'idées à l'oreille. Des idées exubérantes, irrationnelles, que Norma a réussi, tant bien que mal, à enrayer de la tête de son enfant.

Et voilà que ça recommence...

Femme de cœur, elle sait que la patience et l'amour peuvent venir à bout des maux les plus tenaces et les plus silencieux qui ponctuent souvent les traumatismes les plus profonds.

Repoussant les draps, Norma se lève d'un bond, s'immobilise sur place. Devant elle se tient un garçon vêtu comme s'il s'apprêtait à aller se balader en forêt.

— Mathieu ! Que… qu'est-ce qui se passe ? bafouille-t-elle.

— On m'a averti de son retour, maman !

— Le retour de… qui ?

— De Max, qui d'autre ! lance-t-il d'un ton où ne perce aucun doute.

Elle le regarde, navrée, et cherche la force de le ramener de nouveau à la réalité.

— Mathieu, commence-t-elle d'une voix douce, nous avons longuement parlé à ce sujet. Je t'assure, tu dois faire des efforts pour oublier, c'est pour ton bien.

— Mais, maman, tu ne comprends pas ! Il ne faut pas *oublier*…

— Si, justement, l'interrompt sa mère avec fermeté. Je sais, c'est pénible pour toi d'oublier : tu te sens responsable. Ce n'est pas ta faute si cette chaloupe a chaviré, encore moins si nous n'avons pas retrouvé le corps de Maxime. Tous les jours, Mathieu, je remercie le ciel de t'avoir laissé la vie sauve… Je suis désolée de t'annoncer ça, mon chéri, mais ton ami ne rentrera plus à la maison. C'est impossible…

– Oui, c'est possible ! explose-t-il. Tu dois me croire ! Écoute, j'ai fait un rêve, si réel que je ne peux pas l'ignorer !

Norma est ébranlée par l'assurance de son fils. Devrait-elle le prendre au sérieux ? L'écouter ? Indécise, elle l'observe, plonge dans la profondeur de son regard et en ressort convaincue. A-t-elle oublié le don qu'il détient ? Celui de faire des rêves prémonitoires. Un don florissant, à une certaine époque. Et qui s'est éteint le jour même de cette tragédie. Un don jalousement gardé secret qui serait en train de renaître…

– Maman, dans ce rêve, j'ai vu Maxime longer le lac. Il est de retour, j'en suis persuadé ! De plus, il n'est pas seul, une fillette l'accompagne. Nous devons aller à leur rencontre !

Norma hésite encore un peu, tout cela paraît tellement insensé ! Toutefois, la lueur qui brille dans le regard de son fils met un terme à son vacillement. N'écoutant que son cœur, elle décide de passer à l'action, tandis qu'elle se fait une promesse intérieure : s'ils reviennent bredouilles, elle devra songer sérieusement à demander de l'aide.

Il ne lui reste plus qu'à donner un coup de fil à Charles. À deux heures du matin, par contre, ça ne passera sûrement pas. Il risque de la qualifier d'hurluberlue. Et pour cause ! Néanmoins, elle ne peut se résoudre à l'exclure, après tout Maxime est son fils.

Quelques minutes plus tard, lorsqu'elle raccroche le combiné, Norma affiche une mine estomaquée.

– Quoi ? Qu'est-ce qu'il a dit ? s'empresse de demander Mathieu, anxieux.

– Lui aussi a entendu… Enfin, on lui a annoncé le retour de son fils.

– Je le savais ! Mais, dis-moi, qui le lui a appris ?

– Une certaine Hina…

Retrouvailles

MARCHANT dans la nuit, un jeune garçon porte une fillette dans ses bras. Ils empruntent un sentier qui longe un lac poissonneux. C'est un endroit familier que les enfants n'auraient jamais dû quitter. Contre leur gré. Il y a de cela une éternité, leur semble-t-il. Ils sont trempés, épuisés, mais tellement heureux. Heureux d'être de retour dans leur monde ! Des images, tout en pâleur, remontent à leur mémoire et guident leurs pas.

〜

Avisant un feu en bordure de la forêt, Maxime décide d'aller quérir de l'aide auprès d'une famille de campeur en espérant ne pas trop les effrayer. Il faut dire qu'avec leurs vêtements, devenus des loques, ils donnent l'image de vagabonds déguenillés. Avançant d'un pas incertain, main dans la main, Maxime et Justine s'approchent, le cœur serré, quelque peu angoissé.

Un homme est le premier à les apercevoir. Il se lève prestement, le visage illuminé par les flammes. Son regard s'est figé. Sur la défensive, Maxime recule. Pourvu qu'il ne les prenne pas pour des voleurs ou des délinquants en mal d'aventure…

Maxime sonde les yeux de l'inconnu. Il n'y voit pas d'hostilité, mais une surprise infinie, comme s'il dévisageait un revenant. La force de ce regard est si puissante qu'il ouvre une brèche dans l'âme de l'adolescent et l'ébranle. Se connaisse-t-il?

L'homme avance, le regard si doux, si troublé, que la muraille qui a aveuglé Maxime depuis si longtemps, s'écroule et livre passage aux souvenirs voilés.

Cet homme est son père.

– Maxime… murmure l'homme d'une voix profondément émue. C'est bien toi…

Une atroce boule d'émotion noue la gorge de l'adolescent. Il tente de résister au chagrin qui menace de le faire éclater en sanglots.

Pendant que les deux hommes s'apprivoisent du regard, la dame s'élance vers Justine, l'emmène près du feu, lui parle avec gentillesse. Dans le halo dansant des flammes, Maxime remarque la présence d'un jeune garçon. Silencieux, celui-ci lui lance un clin d'œil amical. Ému, Maxime reconnaît son meilleur ami : Mathieu. Il a toujours su qu'il pouvait compter sur lui ! Précieux, ce moment se grave à jamais dans son cœur. Sans hésitation, le père enlace son enfant. Il étreint fougueusement ce fils qu'il croyait avoir perdu. La nuit se fait sereine.

Moment chargé d'émotions. De larmes. De joie.

Le ciel, aussi scintillant qu'une cotte de mailles, éclaire leurs retrouvailles. L'odeur de la forêt éveille d'autres souvenirs dans le cœur de Maxime. Ceux de sa mère. D'ailleurs, pourquoi ne se manifeste-t-elle pas ?

— Papa, commence-t-il, où est maman, elle est pas avec toi ?

Son père recule, le contemple un instant, hésitant.

— Non, finit-il par répondre.

— Elle n'a pas pu venir, c'est ça ? Elle est en voyage d'affaires dans un autre pays sans doute, hein ?

Le visage de son père devient grave. Mélancolique. Un doute envahi Maxime.

— Fiston, t'a mère nous a quittés, emportée par la maladie.

L'adolescent pâlit, abasourdi. Impossible ! Sa mémoire peut-elle lui faire défaut à ce point ? Comprenant le malaise de son fils, il tente de le rasséréner :

— Je sais que la mort de ta mère t'a bouleversé. Tu n'as pas accepté qu'elle soit partie ainsi.

Il s'interrompt, lui adressant un sourire triste.

— Après les funérailles, j'ai décidé de t'emmener toi et ton ami Mathieu, faire du camping sauvage. Nous avions besoin de nous changer les idées, de rire à gorge déployée. De s'amuser, quoi. Au fond, je souhaitais me rapprocher de toi, Maxime, pour que tu puisses t'ouvrir… Car la mort de ta mère nous avait éloignés, tous les deux. Après ta disparition, j'ai maudit cette décision…

Maxime fixe le vide, les yeux mouillés, le cœur meurtri par cette triste nouvelle.

— Tu ne te rappelles pas ? demande douce-ment son père. Remarque, il y a si longtemps que tu es porté disparu, que ça ne m'étonne pas. Tu as dû vivre de rudes épreuves, ajoute-t-il en lui serrant les épaules. Rentrons à la maison, tu veux ?

Maxime résiste un instant. Perplexe, il demande :

— Depuis combien de temps suis-je parti ?

— Un an…

La lettre venue de nulle part

SIX MOIS plus tard, Maxime Beauchesne avait recouvré sa mémoire.

Sa liberté.

Sa vie.

L'obstacle le plus pénible à surmonter a été d'admettre que, plus jamais, il ne reverrait sa mère. Par chance, le temps, combiné au soutien de son père, s'est chargé d'atténuer ce chagrin.

Justine Fortin a rejoint ses parents et a reconnu leur visage familier. L'oubli ne s'est pas interposé longtemps entre elle et eux. L'amour est plus fort que tout.

Tous se porte bien. Vraiment ?

Qu'advient-il de Chanel ? Comment se débrouille-t-elle ? A-t-elle retrouvé Hina avec l'aide de Falkir ? L'homme-rat s'est-il remis de son ensorcellement ? L'Échoppe du voyageur a-t-elle repris ses activités ?

Des questions sans réponses. Plusieurs fois par jour elles défilent dans l'esprit de Maxime. Hantise, ou souvenirs impérissables ? Les deux, sans doute. Hier, il a même poussé l'audace jusqu'à retourner au lac Poissons. Secrètement, bien entendu. Inutile, d'affoler son père. Au

fond, il espérait revoir Chanel. Désir ina-
vouable…

Et rien ne s'est manifesté.

Toutefois, ce matin, ces mêmes questions se
transforment en raz de marée dans sa tête. Assis
sur son lit, Maxime sent son cœur cogner
contre sa poitrine. Pourtant, il n'a pas été
victime de cauchemar, mais d'un simple songe.
Pas n'importe lequel : la vieille mémé, au regard
gris, lui a remis quelque chose !

Pendant un instant, il n'ose poser le geste
qui confirmera l'authenticité de ce rêve. Après
tout, ce n'est qu'un songe. D'un autre côté,
tant d'événements inimaginables ont bousculé
sa vie dernièrement. Les murs se mettraient à
parler qu'il ne s'en étonnerait même pas.

N'en pouvant plus, il se contorsionne et
plonge la main sous son oreiller. Son cœur rate
une pulsation tandis que son œil perçoit une
tache de couleur. Ses doigts se referment sur
une enveloppe. Mauve.

Salutations, cher Maxime !

*J'attendais (autant que toi) ce jour avec
impatience ! J'espère que tout va pour le mieux dans ton
monde.*

*Voyager dans le Royaume des rêves est vraiment un
atout inestimable. Un Don que tu ne dois pas négliger.
Entretiens-le, il ne te quittera jamais. Ne t'inquiète pas,*

je ne suis pas devenue une fana de morale. C'est le genre de paroles que Hina me dit tous les jours. Tu l'auras deviné, elle est revenue !

Tu te rappelles le miroir aux reflets si limpides qu'il donnait l'impression d'être constitué de liquide ? Eh bien ! quelle ne fut pas ma surprise (et ma joie !) de la voir émerger de là ! Vois-tu, en réalité, il s'agit d'un portail vers le Royaume des eaux terrestres. Là-bas, en exil, Hina a été accueilli par le peuple des êtres cygnes qui lui ont enseigné à camoufler son apparence sous les traits d'un cygne. Patiente, à l'abri des forces obscures, elle a acquis de nouveaux pouvoirs. Le contact télépathique que tu as eu avec elle a marqué le début de la fin. La fin de Gabriella, bien sûr. D'ailleurs, cette dernière s'est volatilisée. Bon débarras !

Depuis son retour, Hina me transmet son savoir. Que de choses à apprendre, à assimiler, à connaître : les cartes géographiques des royaumes environnants, la politique de leur société, leurs lois, leurs coutumes ainsi que leur magie. Tout ça, afin de bien informer les voyageurs qui fréquentent l'échoppe en quête d'un monde à découvrir. Bref, je ne m'ennuie pas. En passant, la boutique n'a pas encore ouvert ses portes. Hina travaille sur un nouvel enchantement qui, à l'avenir, protégera davantage sa propriété. Propriété qu'elle me léguera le jour où je serai apte à prendre la relève. Une cérémonie est prévue en cet honneur, m'a-t-elle confié. Un peu excitant, tout ça, tu ne trouves pas ?

Falkir n'a plus à s'infliger d'atroces blessures pour se libérer du sort de Vengeance. De concert avec Hina, nous avons réussi à contrer l'ensorcellement. Cependant, le maléfice ayant altéré son bagage génétique, il conserve malheureusement quelques caractéristiques animales. Remarque que sa main griffue, son visage triangulaire, ainsi que ses oreilles pointues lui donnent un certain charme...

Doucement, la nature reprend ses droits. À présent, je m'autorise des promenades. La beauté des jardins est parfois époustouflante. Dommage que tu ne sois plus des nôtres ; je suis certaine que tu apprécierais. À la folie !

Fais la bise à Justine quand tu la verras !

Je vous transmets toute mon amitié,

Chanel

P.-S. : Falkir m'a expliqué la légende qui entoure la sagesse du dragon. Dans les temps anciens, les dragons étaient pourchassés par les sorciers afin de leur extirper leur savoir et leur pouvoir. Pour contrer leur extinction, une dragonne s'est cantonnée dans les majestueuses Montagnes blanches. Gardant contact avec un allié, elle lui a transmis par la pensée tout son savoir afin de préserver les connaissances ancestrales.

Table